NEW
서울대 선정
인문고전
60선

03
노자 도덕경

NEW 서울대 선정 인문 고전 ❸

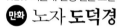

만화 노자 도덕경

개정 1판 1쇄 발행 | 2019. 8. 21
개정 1판 2쇄 발행 | 2021. 9. 27

최훈동 글 | 이남고 그림 | 손영운 기획

발행처 김영사 | 발행인 고세규
등록번호 제 406-2003-036호 | 등록일자 1979. 5. 17.
주소 경기도 파주시 문발로 197 (우10881)
전화 마케팅부 031-955-3100 | 편집부 031-955-3113~20 | 팩스 031-955-3111

값은 표지에 있습니다.
ISBN 978-89-349-9428-2
ISBN 978-89-349-9425-1(세트)

좋은 독자가 좋은 책을 만듭니다. 김영사는 독자 여러분의 의견에 항상 귀 기울이고 있습니다.
전자우편 book@gimmyoung.com | 홈페이지 www.gimmyoungjr.com

이 도서의 국립중앙도서관 출판예정도서목록(CIP)은 서지정보유통지원시스템 홈페이지(http://seoji.nl.go.kr)와
국가자료종합목록시스템(http://www.nl.go.kr/kolisnet)에서 이용하실 수 있습니다. (CIP제어번호 : CIP2018042453)

어린이제품 안전특별법에 의한 표시사항

제품명 도서 제조년월일 2021년 9월 27일 제조사명 김영사 주소 10881 경기도 파주시 문발로 197
전화번호 031-955-3100 제조국명 대한민국 ⚠주의 책 모서리에 찍히거나 책장에 베이지 않게 조심하세요.

미래의 글로벌 리더들이 꼭 읽어야 할 인문고전을 만화로 만나다

NEW 서울대 선정 인문고전 60선

03

노자 도덕경

최훈동 글 · 이남고 그림

도덕경

주니어김영사

〈NEW 서울대 선정 인문고전60〉이 국민 만화책이 되기를 바라며

제가 대여섯 살 때 동네 골목 어귀에 어린이들에게 만화책을 빌려주는 좌판 만화 대여소가 있었습니다. 땅바닥에 두터운 검정 비닐을 깔고 그 위에 아이들이 좋아하는 만화책을 늘어놓았는데, 1원을 내면 낡은 만화책 한 권을 빌릴 수 있었지요. 저는 그곳에서 만화책을 보면서 한글을 깨쳤고 책과의 인연을 맺었습니다.

초등학교 때는 용돈을 아껴서 책을 사서 읽었고, 중학교 때는 학교 도서 반장을 맡아 도서관에서 매일 밤 10시까지 있으면서 참 많은 책을 읽었습니다. 그 무렵 헤밍웨이의《노인과 바다》를 손에 땀을 쥐며 읽으면서 인생에 대해 고민했고, 헤르만 헤세의《수레바퀴 아래서》를 읽으며 사춘기의 심란한 마음을 달랬습니다. 김래성의《청춘 극장》을 밤새워 읽는 바람에 다음 날 치르는 중간고사를 망치기도 했습니다.

당시 저의 꿈은 아주 큰 도서관을 운영하는 사람이 되어 온종일 책을 보면서 책을 쓰는 작가가 되는 것이었습니다. 나이가 들고 어느 정도 바라는 꿈을 이루었습니다. 큰 도서관은 아니지만 적당한 크기의 서점을 운영하고, 글을 쓰는 작가가 되었거든요. 저는 여기에 새로운 꿈을 하나 더 보탰습니다. 그것은 즐거운 마음과 힘찬 꿈을 가지게 해 주고, 나아가 자기 성찰을 도와주는 좋은 만화책을 만드는 일이었습니다. 이렇게 해서 만든 책이 바로 〈서울대 선정 인문고전〉입니다. 서울대학교 교수님들이 신입생과 청소년들이 꼭 읽어야 할 책으로 추천한 도서들 중에서 따로 60권을 골라 만화로 만든 것입니다. 인류 지성사의 금자탑이라고 할 수 있는 고전을 보기 편하고 이해하기 쉽도록 만화책으로 만드는 일은 쉬운 일은 아니었습니다. 약 4년 동안에 수십 명의 학교 선생님들과 전공 학자들이 원서의 내용을 정확하게 전달할 수 있도록 밑글을 쓰고, 수십 명의 만화가들이 고민에

고민을 거듭하면서 만화를 그려 60권의 책을 만들었습니다.

〈서울대 선정 인문고전〉이 완간되었을 무렵에 우리나라에 인문학 읽기 열풍이 불기 시작했습니다. 〈서울대 선정 인문고전〉은 인문학 열풍을 널리 퍼뜨리는 데 한몫을 하면서 독자들의 뜨거운 사랑과 관심을 받았습니다. 덕분에 지금까지 수백만 권이 팔리는 베스트셀러가 되었습니다. 그 사랑에 조금이나마 보답을 하기 위해 《칸트의 실천이성 비판》, 《미셸 푸코의 지식의 고고학》, 《이이의 성학집요》 등 우리가 꼭 읽어야 할 동서양의 고전 10권을 추가하여 만화로 만들었습니다.

〈서울대 선정 인문고전〉은 어린이와 청소년이 부모님과 함께 봐도 좋을 만화책입니다. 국민 배우, 국민 가수가 있듯이 〈서울대 선정 인문고전〉이 '국민 만화책'이 되길 큰마음으로 바랍니다.

손영운

도와 더불어 사는 덕스러운 세상을 함께 가꾸어요

노자의 《도덕경》은 우리 학생들에게 멀고 생소한 고전일 것입니다. 한문으로 된 동양 고전인데다 노자라는 인물이 공자와 달리 역사적 기록이 많지 않고 신비한 발자취를 남겼기 때문이지요. '도덕경'이라는 제목도 잘못 이해하기 쉽지요. 아마도 윤리 도덕을 말하는 딱딱한 책으로 여겨서 펼쳐 볼 엄두조차 내지 않는 학생들도 있을 것 같아요. 도와 덕에 대해 이야기하는 《도덕경》은 설교나 훈계만 늘어놓는 그런 지루한 책이 아닙니다.

《도덕경》의 압축된 글들은 역설과 반어법으로 가득한데 내용 또한 기존의 가치관을 비판하고 일반적인 상식을 뛰어넘는 영감을 자극하는 글들이 많지요. 노자의 기발한 사고, 혁명적인 의식 전환은 어느 누구도 흉내 내기 어려운 덕목이지요. 세계는 이러한 혁명적 사고의 주인공들에 의해 변화와 발전을 거듭하여 노예의 수준에서 자유인의 수준으로 성숙해졌다고 할 수 있어요. 아직도 자기 생각만 옳고 자기 신념만 최고라는 도그마에 갇혀 지내는 사람들이 많기는 하지만요.

아마 현실에 대한 비판과 반항의 정도로 말하면 노자를 따를 자가 없지요. 그런 점에서 순수한 반항과 자유로운 상상이 풍부한 우리 청소년들과 닮았다 할 수 있습니다.

지시와 간섭, 통제와 규율 같은 방법이 아니라 인간들 스스로의 자유 의지에 맡길 것을 강조한 노자는 민주 교육과 민주 정치의 창시자라 할 만하지요. 그렇다고 방종과 자만을 이야기하는 것은 아니지요. 그런 까닭에 노자는 2000년 넘게 수많은 지성인들이 흠모하고 있으며, 서양에서도 노자의 《도덕경》을 가장 많이 번역하였답니다.

해가 동쪽에서 떠서 서쪽으로 진다는 지극히 당연한 사실도 코페르니쿠스에 의해 부정되어졌듯이 비행기 위에서 내려다보면 구름은 더 이상 하늘 위에 떠 있는 게 아니라 구름바다와 구름 평원이지요. 도덕경의 핵심은 늘 우러러 보기만 해야 하는 부모님이나 선생님이 아니라 함께 보고 때론 낮추어 볼 수도 있음을 인정하고, 모든 가치나 신념 또한 상대적이고 바뀔 수 있다는 것입니다. 또 아름다움과 추함도, 옳고 그름도 모두 감각적 분별에 의해 사람들이 자기중심적으로 해석한 것에 불과할 수 있다는 것이랍니다. 참다운 삶의 가치를 잃고 욕망의 바다에서 표류하는 현대인들뿐 아니라 권력욕에 눈멀어 싸움만 일삼는 정치인들에게 《도덕경》은 나를 내세우지 말고 나라는 생각을 비워서 도와 더불어 사는 덕스러운 세상을 함께 가꾸라고 하지요.

최흥동

《도덕경》을 통해 세상의 이치와 도를 얻기 바랄게요

《도덕경》 만화 작업을 시작한 때는 바야흐로 모기, 파리와 싸워야 하는 무더운 8월이었습니다.

비가 한창 내리던 어느 날 《도덕경》 작업을 위해 책과 인터넷을 이리저리 뒤지고 있었을 때였어요. 창밖에서 번개가 치고 천둥소리가 들렸지요. 그런데 그 순간 컴퓨터가 그냥 꺼져 버리는 겁니다. 순간 머리에 스치는 생각이 '설마 컴퓨터 보드가 나간 건 아니겠지!' 였어요. 아니나 다를까 컴퓨터는 두 번 다시 켜지지 않는 겁니다.

출판사에 원고 스캔본도 보내야 하고 당장 자료 검색도 해야 하는데 이게 어떻게 된 일인지……. 거기다 그동안 작업한 원고도 컴퓨터 안에 있었기에 무척이나 걱정이 되었습니다. 허겁지겁 컴퓨터 A/S를 받았는데 다행히 하드에는 별 문제가 없었고 원고는 무사했답니다.

하지만 그날 이후, 비가 오고 천둥이 치면 컴퓨터 전원과 인터넷 선을 모두 뽑아 버리는 습관이 생겼어요. 다행히 천둥 번개는 그리 자주 발생하진 않더군요.

나에게 이런 소중한 추억과 좋은 습관을 만들어 준 《도덕경》 만화는 결코 쉬운 작업이 아니었답니다.

여러분들은 《도덕경》이란 책을 잘 아나요? 혹 노자란 분은요?

《노자 도덕경》은 중국의 철학적 사상을 담고 있는 책이라고 해요. 많이는 들어봤지만 그리 익숙한 책이라고는 말할 순 없겠죠? 나 또한 그리 익숙하지 않아서 만화로 쉽게 만들 수 있을까 걱정하면서 작업을 시작했어요. 우리나라 사람들이 중국의 철학 사상에 영향을 받아왔고, 받고 있다고 생각하는데 막상 그림으로 풀어내려고 하니 쉽지 않더군요.

하지만 글 원고를 받아서 읽어 보고 다른 자료들도 찾아보니 《도덕경》이 정말 우리들에게 소중한 것을 알려주고 있다는 생각이 들었어요. 나 또한 이 책을 통해 심성을 가다듬는 데 크나큰 도움을 받았으니 말이에요.

우리가 알고 있는 윤리 그 이상의 것이 '도'라는 말에 다 포함되어 있어서 이를 행할 수만 있다면 모든 괴로움을 떨쳐 버릴 수 있다는 확신도 생겼지요. 이러한 확신을 그림으로 그려내고자 노력했고 이제는 책으로 만들어져 여러분들에게 선보이게 되었군요.

비록 노자는 《도덕경》 81장을 통해 5,000여 자로 세상의 도를 이야기하지만 그가 말하고자 하는 뜻은 무한한 것이니, 여러분들도 《도덕경》을 통해 세상의 이치와 도를 얻기 바랍니다.

이남고

| 차 례 |

道

제1장
《도덕경》은 어떤 책일까?
도덕경

중국을 대표하는 사상을 둘만 대라고 한다면?

당연 유가사상과 도가사상이겠지.
공자
노자
우리가 그렇게 유명하다니 기분은 좋은데!

이 두 가지 사상은 서로 큰 차이가 있어.

유가사상이 공자와 맹자에서 시작되어 '공맹사상'이라 불리듯이

도가사상은 노자와 장자에서 시작되어 '노장사상'이라 불리지.

한대 이후 유가사상은
중국의 정치 이념과 사회 윤리의
바탕이었어.
예로써
나라를
다스리겠소.
반면 도가사상은 민간 신앙과 융합하여
중국인들의 생활 깊숙이 스며들었지.
저희에게
가르침을 주세요.
음…
유가사상이 통치자의 학문으로
지배층을 위한 출세의 학문이라면
도가사상은 일반 중국인들의 정서에
깊이 녹아 있는 삶의 지혜라 할 수
있어.
흔히 도가사상이라 하면, 사회를 등지는 허무주의나 삶을 싫어하는
염세주의라는 부정적 이미지 또는 신선술이나 불로장생*을 떠올리지.
하지만 그것은 도가사상의
진정한 모습과는 거리가 멀어.
쿵
그것은 사람들이 도가와 도교를
구분하지 않아서 그렇지.
도가는 학문
이지 종교가
아니라고!
도교는 후한 말(2세기 말)
민속 신앙과 장생불사**를 추구하
는 신선사상이 합쳐져 만들어졌어.
노자를 신선으로 생각해 교조로
받들고 《도덕경》을 이론적
근거로 삼았지.
도덕경
도교의
경전으로
삼겠어.
도교는 당나라에 이르러 더욱 성행하였어.
도교는 개인의 행복만 추구하고
늙지 않고, 죽지 않는 신선이
되길 바라는

*불로장생(不老長生) - 늙지 아니하고 오래 삶.

**장생불사(長生不死) - 오래도록 살고 죽지 아니함.

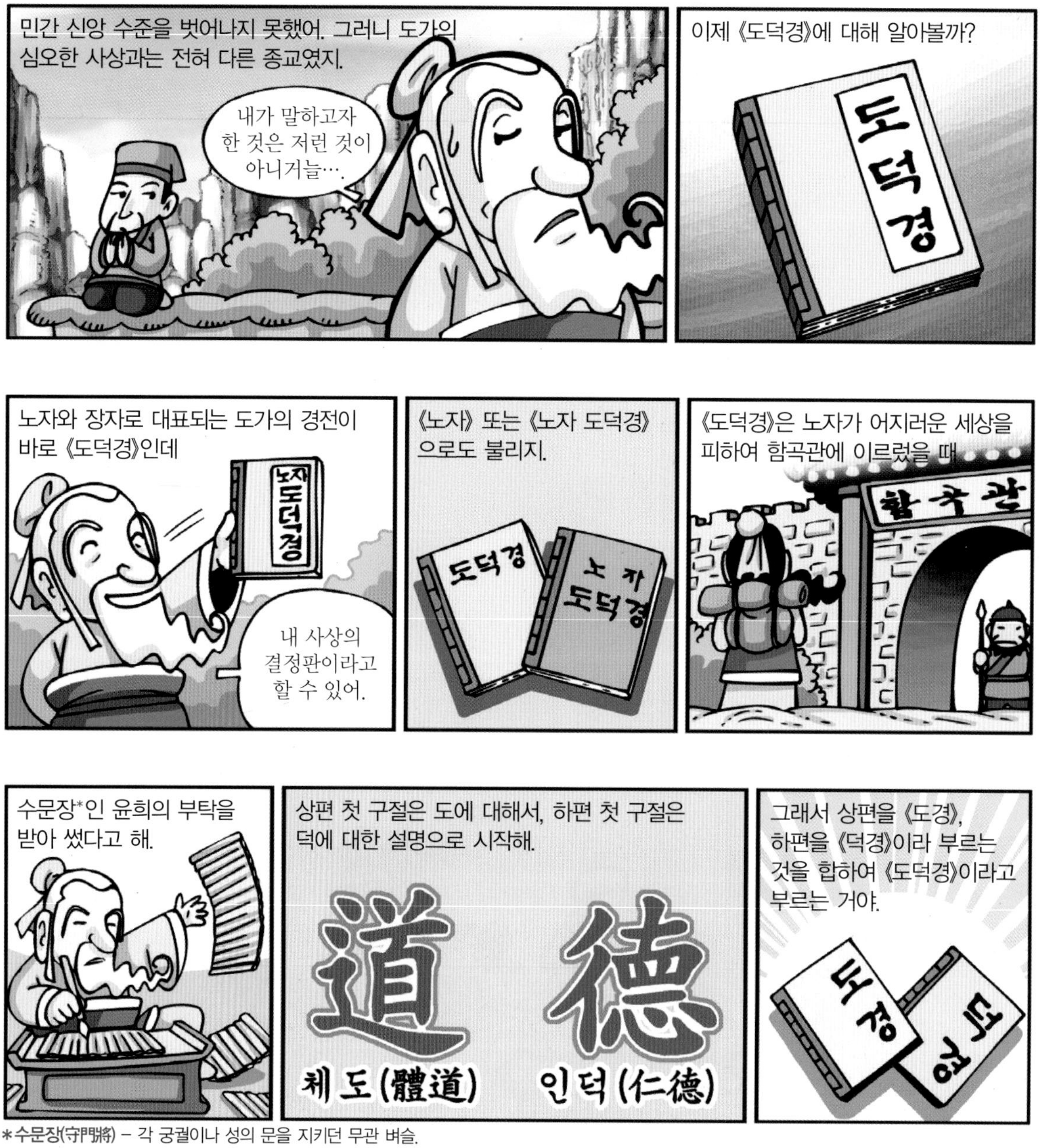

민간 신앙 수준을 벗어나지 못했어. 그러니 도가의 심오한 사상과는 전혀 다른 종교였지.
내가 말하고자 한 것은 저런 것이 아니거늘….
이제 《도덕경》에 대해 알아볼까?
도덕경
노자와 장자로 대표되는 도가의 경전이 바로 《도덕경》인데
노자 도덕경
내 사상의 결정판이라고 할 수 있어.
《노자》 또는 《노자 도덕경》으로도 불리지.
도덕경
노자 도덕경
《도덕경》은 노자가 어지러운 세상을 피하여 함곡관에 이르렀을 때
함곡관
수문장*인 윤희의 부탁을 받아 썼다고 해.
상편 첫 구절은 도에 대해서, 하편 첫 구절은 덕에 대한 설명으로 시작해.
道 德
체도(體道) 인덕(仁德)
그래서 상편을 《도경》, 하편을 《덕경》이라 부르는 것을 합하여 《도덕경》이라고 부르는 거야.
도경
덕경

* 수문장(守門將) – 각 궁궐이나 성의 문을 지키던 무관 벼슬.

노자의 《도덕경》은 한자로 5,000자 남짓, 81장으로 나누어졌고 한두 시간이면 읽을 수 있는 분량이지만
5,000자 정도는 가뿐하지!
그 뜻이 매우 깊어 이해하기 어려워.
읽긴 다 읽었는데 무슨 뜻이지? 다시 읽어야 하나?
도덕경
그래서 중국 고전 가운데에서 주석서가 가장 많은 책이야.
도덕경
도덕경 주석서
어려운 책을 쉽게 풀이한 책이 주석서야.

대략 1,500권의 주석서가 있었다는데, 지금까지 전해지는 것은 350권이야.
서양에선 동양 고전 중 가장 많이 번역되어 무려 100여 종의 번역서가 있대.
도덕경
TAO TO CHING
LAO TZU
그러면 왜 해석을 달리하는 주석서가 이렇게 많이 만들어졌을까?
맞아. 《도덕경》의 사상은 아주 깊고 넓은데, 표현이 너무 짧고 간단해서 이해하기 쉽지 않아서야.
성인은 어디에도 머물지 않는다.
뭔 말이야?
하지만 어렵기만 하다면 인기가 없겠지?
툭!
윽!
내용이 너무 어려워 읽기 싫어.
그러면 시대를 넘어 인기를 얻고 있는 까닭은 무엇일까?
도덕경
어렵다는 이유로 던져 버릴 책이 아니라고!
그건 바로 어렵지만 그 뜻이 깊고, 시간을 뛰어넘어 현재에도 모든 사람에게 큰 교훈을 주기 때문이야.
도덕경
이렇게 고전적 가치가 높은 《도덕경》의 내용이 궁금하지?
도덕이란 도대체 무엇이라고 생각해?
道
德
흔히 우리가 알고 있듯 윤리나 규범일까?
줄을 서시오.
BUS
아마 대부분 그렇게 생각할 거야.
이상하네. 도덕이라면 이런 거 맞잖아.
하지만 《도덕경》에서 말하는 도덕이란 그렇게 단순한 뜻을 가진 단어가 아니야.
도덕, 그럼 뭐란 말이야?

《도덕경》의 도덕은 훨씬 깊은 의미를 가지고 있어.
깊다고 설마 빠져 죽진 않겠지!
여기서 도는 우주의 근본 원리를 뜻하고
덕은 그런 도가 삶 속에서 구체적으로 이루어지는 작용을 의미하는 거야.
좀 어렵지만 읽다 보면 도덕의 의미에 대해서 알게 될 거야.
도덕이 뭔 말인지 알지?
알 것 같기도 하고….
참, 경전을 뜻하는 경이라는 단어는 성인이 쓴 글이라는 의미로 아무 책에나 붙이는 것이 아니야.
《사기》의 유림전에는 노자서라는 제목으로 기록되어 있거든.
노자서
그런데 《도덕경》이라 부르게 된 것은, 전한의 6대 황제인 경제가 노자를 숭상하여 유교 경전과 대등하게 부르기 위해 경을 사용하면서부터라고 해.
노자서를 이제부터는 유교의 사서삼경과 같이 노자 도덕경이라 하겠소.
노자 도덕경
일반적으로 동양의 고전을 구분할 때 경이라고 쓰인 책은 교과서, 전이라 쓰인 책은 참고서 정도로 생각하면 돼.
도덕경
노자전
도덕열전
그러니까 《도덕경》은 도덕을 가르치고자 쓰인 교과서이고, 도덕경을 해설하는 책들에는 따로 전이 붙는 거지.
전
전
전
경
전은 나의 자식이라 할 수 있지.

그럼, 지금부터 《도덕경》이 만들어진 시대적 배경을 알아볼까?

원래 모든 사상은 그 시대적 배경이 있는 법이야.

그래서 도덕경이 쓰여진 중국의 춘추 · 전국 시대 상황을 우선 공부하려고 해.
춘추전국시대

중국은 춘추 시대(기원전 770~기원전 403)에 170여 개의 많은 나라들이 세워졌다가 전국 시대(기원전 403~기원전 221) 초기에는 20여 개 나라로 정리되었어.

각 나라가 존왕양이*라는 대의명분**으로 싸우다가 전국 시대로 접어들면서 대의명분마저 버리고 오직 먹고 먹히는 약육강식***의 시대가 되었지.

*존왕양이(尊王攘夷) – 주나라 왕실을 높이고 오랑캐를 물리침. **대의명분(大義名分) – 사람으로서 지키고 행해야 할 도리나 본분.
***약육강식(弱肉强食) – 약한 자가 강한 자에게 먹힘.

난세****에 영웅이 난다고, 제자백가의 사상가들이 출현하여 세상을 구하려 하였고

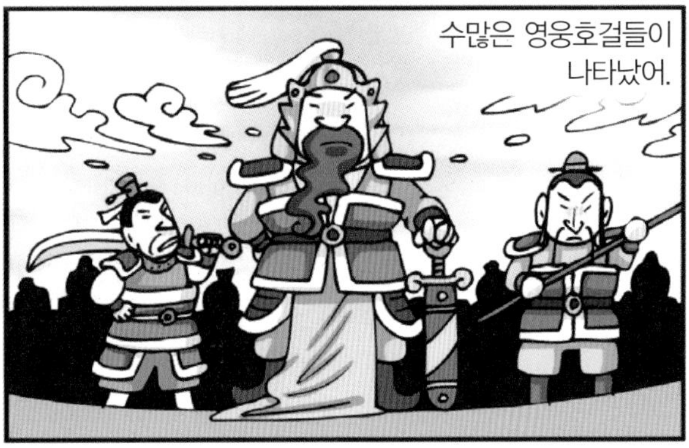
수많은 영웅호걸들이 나타났어.

****난세(亂世) – 전쟁이나 무질서한 정치 따위로 어지러워 살기 힘든 세상.

그들 가운데는 고통의 시련 끝에 빼어난 글을 남긴 학자들도 많았어.
곤경에 처한 공자가 《춘추》를
추방당한 굴원이 《이소》를
다리를 잘리는 형벌을 당한 손빈은 《손자병법》을 썼는데,
절뚝
절뚝
온갖 어려움 속에서도 살아남아서
살아남아야 글을 쓴다.
고통과 시련을 겪은 후 깊은 성찰과 사유가 담긴 걸작을 남긴 거지.
춘추
공자
이소
굴원
손빈
주나라 말, 나라가 쇠약해지면서 혼란에 빠졌을 때
공자는 주나라가 중요하게 생각하고 지킨 예의 정신을 회복하는 것이 나라의 혼란을 구하는 길이라 생각했어.
예로써 나라를 구하라!
예는 상하 계급을 인정하고 상호 겸양의 예로써 질서를 유지하는 거였어.
그렇게 하면 사회의 질서를 안정적으로 유지할 거라고 믿었어.
그래서 공자는 부모에게 효도하고
힘들지 않니?
괜찮아요, 아버님.

형제간에 우애하고
나라에 충성하는 등 사회 질서와 윤리 도덕을 강조하는 유가사상을 펼쳤단다.
오랑캐는 제가 막겠습니다.
장군만 믿겠소.
반면, 노자는 예법과 같은 인위*적 수단으로 백성을 다스리고

*인위(人爲) – 자연의 힘이 아닌 사람의 힘으로 이루어지는 일.

'형벌과 전쟁으로 천하를 다스리는 것이 옳은 것인가?' 라는 의문을 가졌어.
형을 집행하라.
살~ 살려 주십시오.
도는 욕심이 없기에 천하를 낳지만 소유하지 않는다고 말하는 노자는
무위적인 다스림을 본보기로 삼는다면 다스리지 못할 것은 없소이다.
주 왕실이 신봉하던 예에 대해 회의적이었고
옳지 않아!
약한 나라를 징벌하고 영토를 넓혀서
와아 아...
백성들이 행복하고 평화롭게 살고 있는지 되물었지.
그렇다고 노자와 공자가 서로를 비판한 건 아니란다.
끊임없는 전쟁으로 정치와 도덕이 혼란하던 시대에 두 사람은 다른 생각을 가졌을 뿐이야.
생각이 다를 뿐이오.
《도덕경》을 통해 인간의 도와 덕을 강조한 까닭을 이해할 수 있겠지?

노자는 수많은 전쟁으로 피폐해진 인간 본래의 정신을 되살리려면
도와 덕이 가장 중요하다.
노자는 왜 그런 생각을 했을까?
노자가 살았던 춘추 · 전국 시대는 상대를 죽여서 이겨야만 나라를 지킬 수 있었어.
그러니 얼마나 끔찍한 전쟁을 많이 보았겠니?
이건 아니잖아!
전국 시대에 진나라와 조나라 사이에 큰 전쟁이 있었어. 장평전이라 부르는 전쟁이었지.
이 전쟁에서 조나라의 사상자는 45만 명이나 되었는데
趙
15세 이상의 남자는 모두 전쟁에 나갔지.
조나라 군사들은 진나라 군대에 의해 보급로가 끊겨 46일이 지나자
내부에서 서로를 죽여 사람의 살을 먹는 지경에 이르렀어.
조나라가 마침내 항복하자 진나라는 항복한 조나라 병사들을 산 채로 땅에 묻어 버렸어.

조나라 사람들은 두려움에 벌벌 떨었지.
어때? 정말 끔찍하지?
나라가 전쟁을 치르면 백성들의 살림살이가 궁핍해지는 법!
두두두두두...
배고파~
나라는 군비*에 쓰려고 가혹한 법으로 세금을 징수하고,
세금을 못 낸 백성들은 노역에 끌려갔어.
그 노역을 면제 받으려면 군대에 가야 했고, 따르지 않으면 가혹한 형벌을 받았지.

*군비(軍備) – 전쟁을 수행하기 위하여 갖춘 군사 시설이나 장비.

결국 잘사는 길은 오직 전장에 나가서 공을 세워 살아 돌아오는 거였어.
와아아아
승리를 하지 않으면 포로가 되어 노예처럼 살아야 하니까
모두 기를 쓰고 상대를 죽여야 했어.
윽!
적군의 목을 다섯 베어오면 마을 다섯 가구를 이끄는 반장이 되는 상을 받았어.
반장
결국 상대를 이기기 위해 병법이 연구되고, 견고한 성을 쌓는 건축술이 발달하고
병법
군왕은 백성을 효율적으로 다스리는 법을 만들게 되지.
법전

이렇게 전쟁과 정치에 대한
지식을 갖추어야 출세하는
세상이었어.
그러나 노자는 나라를 이루는
백성들보다는
오직 외형적으로 나라를 강하게 하고
쑥
쑥
권력을 얻거나 출세를 위해 상대 나라를
이기는 데 전념하여 백성을 전쟁터로 내몰거나
세금을 잘 거두는 방법만 연구하는 지식인들의 태도를
비판하고 나섰어.
노자는 늘 진정한 지식은 무엇인가?
진정한 학문이란 무엇인가?
이런 질문을 던지며
빠
질
지식
학문
폭력과 지배를 정당화하는 당대의 학자들과 정치인에게
경종*을 울린 참된 지성인이었지.
땡
알았어.
그만 좀 해!
시끄러워
죽겠네.
땡
땡
노자는 나라보다는 오히려 그 나라를 이루는
근본이 되는 인간 자체가 더 소중하다고 여긴 거야.

* **경종(警鐘)** – 위급한 일이나 비상 사태를 알리는 종.

노자는 비록 공자와 같은 시대의 사람이었지만 출신도 지역도 달랐기 때문에
북방
남방
대응 방법도 달랐던 거지.
정치적인 면에서는 무위를 내세워 일찌기 민주를 주장했어.
통치자라면 마음을 비우고 백성의 마음을 자신의 마음으로 삼아야 해.
전쟁 반대론자인 노자는 '무기라는 것은 불길하고 혐오스러운 것으로 쓰지 말아야 한다.' 고 했고
사회 윤리에 대해서는 예법을 반대하여 '예는 충성과 믿음을 부족하게 만들어 난세가 시작된다.' 고 했어.
??
수군수군
그런데 주의할 것이 하나 있어. 도가사상이 유가와 반대되는 사상만은 아니라는 점이지.
도덕경
《도덕경》에 나타난 철학은 유가에 큰 영향을 주었고
음양오행* 사상이나
土
金
木
水

*음양오행(陰陽五行) – 우주나 인간의 모든 현상을 음과 양의 조화로 설명하는 음양설과 이 영향을 받아 만물의 생성소멸을 목 · 화 · 토 · 금 · 수의 변화로 설명하는 오행설을 함께 이르는 사상.

주자의 성리학, 왕양명의 양명학 등 중국 사상의 커다란 바탕을 이루기 때문이야.
음양오행
성리학
양명학

간단히 살펴볼까? 42장에 '도는 하나를 낳고, 하나는 둘을 낳고, 둘은 셋을 낳고, 셋은 만물을 낳는다.' 고 했어.
하나는 태극, 둘은 음양, 셋은 오행을 말하는 것과 같아.
金
火
水
木
土

인간의 본성을 다룬 《중용》이나
중용
난 《중용》의 저자이며, 공자의 손자인 자사라고 해.

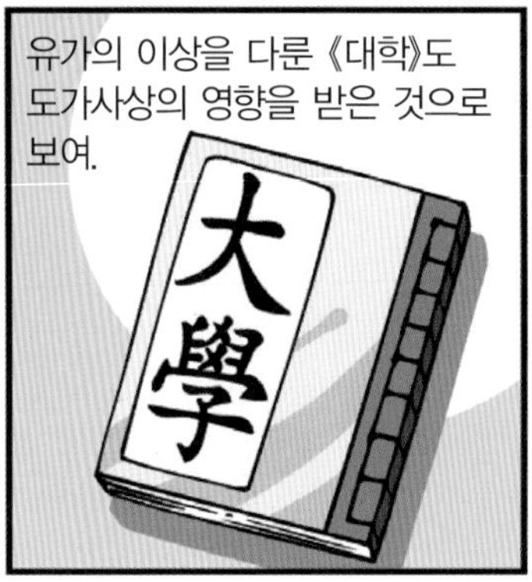
유가의 이상을 다룬 《대학》도 도가사상의 영향을 받은 것으로 보여.
大學

특히, 유교의 삼경 가운데 《역경(주역)》은 처음에 점보는 책 수준에서

도가의 우주의 이치가 보완되면서 경전이 되었다고 보는 학자들도 있어.
예기
시경
주역
춘추
《예기》, 《시경》, 《서경》, 《주역》, 《춘추》를 오경 이라 하고

유가는 원래 현실의 삶을 잘 사는 구체적인 방법론을 주장하였는데
논어
대학
맹자
《대학》, 《논어》, 《맹자》, 《중용》, 《시경》, 《서경》, 《주역》을 유교의 사서삼경 이라고 해.

《도덕경》의 영향으로 우주의 철학적 원리를 보완하게 되었어.

이제 《도덕경》이 현재 형태로 완성되는 과정을 살펴볼까?
무릇 모든 성인의 사상은 말로 전해지고
그의 말과 사상은 제자들이 글과 책으로 모아 엮어 후대에 남게 돼.
도덕경
《불경》이 그랬고
《성경》이 그랬고
《논어》도 그랬거든.
논어
노자의 《도덕경》도 마찬가지야.
그만큼 오래된 것이라 할 수 있지.
그 당시에는 인쇄술이 없었으니까 일일이 손으로 여러 권을 베꼈지.
그러다 보니 원본이 여러 종류로 생겨났겠지?
내가 원본이라고!
원본이 오랜 세월 여러 사람들에게 필사* 되면서
시대에 따라 조금씩 수정되었어.
개정판
도덕경
그래서 여러 종류의 도덕경이 생긴 거야.
우와
《도덕경》은 노자가 남긴 글로 알려져 있지만
본명은 이이 별칭은 자담, 노담이라고도 하지.

*필사(筆寫) – 베끼어 씀.

오랫동안 입과 필사본으로 전해지면서 완성된 책의 성립 시기는 학자마다 의견이 달라.
네 글자의 고시* 형식으로 보아 유가의 《시경》과 같은 시기에 만들어졌다고 생각하는 학자도 있고
참고로 《시경》은 춘추 시대에 만들어졌지.
상장군, 평장군이란 용어와 전쟁의 참상, 세역, 형벌로 보아 전국 시대로 보는 학자도 있어.
전국7웅
연
조
제
위
진
한
초

*고시(古詩) – 고대의 시.

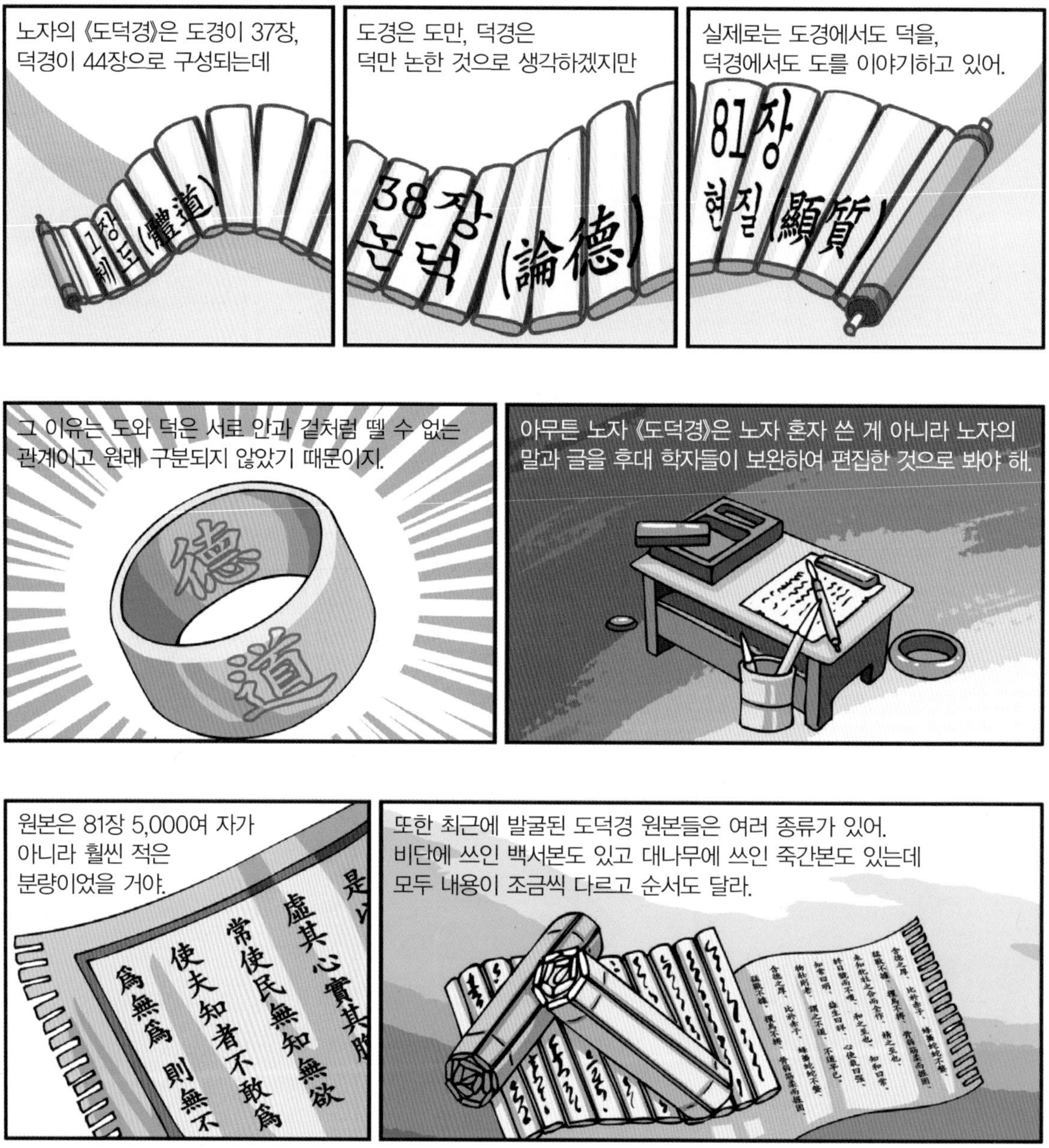

노자의 《도덕경》은 도경이 37장, 덕경이 44장으로 구성되는데
1장 체도(體道)
도경은 도만, 덕경은 덕만 논한 것으로 생각하겠지만
38장 논덕(論德)
실제로는 도경에서도 덕을, 덕경에서도 도를 이야기하고 있어.
81장 현질(顯質)
그 이유는 도와 덕은 서로 안과 겉처럼 뗄 수 없는 관계이고 원래 구분되지 않았기 때문이지.
德
道
아무튼 노자 《도덕경》은 노자 혼자 쓴 게 아니라 노자의 말과 글을 후대 학자들이 보완하여 편집한 것으로 봐야 해.
원본은 81장 5,000여 자가 아니라 훨씬 적은 분량이었을 거야.
常使民無知無欲
使夫知者不敢爲
爲無爲 則無不
또한 최근에 발굴된 도덕경 원본들은 여러 종류가 있어. 비단에 쓰인 백서본도 있고 대나무에 쓰인 죽간본도 있는데 모두 내용이 조금씩 다르고 순서도 달라.

노자가 말하는 도는 자연과 우주의 원리이자 겸손과 소박함, 물과 같은 유연성으로 표현되지.
또한 덕은 무위(함이 없는) 가운데 만물을 기르고, 마음비움, 욕심버리기, 잡초와 같은 강인함 등으로 표현해.

《도덕경》의 내용은 도와 덕뿐만이 아닌 생명존중, 평화사상, 정치관, 병법, 처세술*, 여성학에 이르기까지 많은 분야를 다루고 있어.

아울러 자신을 어떻게 다스릴 것인가에 대해 진지하게 이야기하고 있어.

＊처세술(處世術) – 사람들과 사귀며 세상을 살아가는 방법이나 수단.

이와 같이 《도덕경》은 밝음과 어두움, 부드러움과 강함을 함께 갖춘 조화와 균형의 원리이자 분열과 대립을 극복하는 통합의 원리를 담고 있어. 그래서 현대인의 메마른 물질적 삶에 지혜의 빛을 던져 주는 거야.

중국 역사는 어떻게 흘러왔을까?

우리나라의 역사가 단군이 세운 고조선부터 시작하여 삼국, 남북국(통일신라, 발해), 고려, 조선으로 흘러왔듯이, 중국의 역사도 수많은 나라들이 긴 세월 동안 흥하고 망하기를 거듭하면서 오늘날에 이르렀습니다.

하나라는 중국 최초의 국가로 알려져 있지만, 신화 속의 나라라고 할 수 있습니다.

은(상)	주	춘추	전국
기원전 1600년경	기원전 1000년경	기원전 770년~기원전 403년	기원전 403년~기원전 221년
	희발(무왕)	춘추 5패 : 진, 제, 초, 오, 월	전국 7웅 : 제, 초, 진, 연, 한, 위, 조

(서)진(晋)	5호 16국	남북조	수	당
280년~316년	316년~439년	439년~589년	589년~618년	618년~907년
사마염(무제)	화북 : 5호 16국 강남 : 동진	북조 : 북위 ┌ 동위–북제 └ 서위–북주 남조 : 송–제–양–진	양견(문제)	이연(고조)

명	청	중화 민국	중화 인민 공화국
1368년~1644년	1644년~1912년	1912년~1949년	1949년~현재
주원장(홍무제)	누르하치(태조)	쑨원	마우쩌둥

그래서 역사학자들은 하나라 다음에 등장한 은나라를 중국 최초의 국가로 본답니다. 한자의 기원이 되는 갑골문자 등 은나라 때의 여러 유물과 유적이 발견되면서 화북에 군림하였던 실재 왕조임이 밝혀졌기 때문입니다.
그럼 중국은 어떤 나라들을 거치면서 오늘날에 이르렀을까요?

진(秦)	(전)한	후한	삼국(위 · 촉 · 오)
기원전 221년~기원전 202년	기원전 202년~25년	25년~220년	220년~280년
정(시황제)	유방(고조)	유수(광무제)	위 : 조비 촉 : 유비 오 : 손권

5대 10국	(북)송	남송	원
907년~960년	960년~1127년	1127년~1271년	1271년~1368년
	조광윤(태조) 거란족, 요 건국(914년~1125년) 여진족, 금 건국(1115년~1234년)	조구(고종)	칭기즈 칸

제2장 노자는 누구인가?

不尚賢 使民不爭
不貴難得之貨 使民不爲盜
不見可欲 使民心不亂
是以聖人之治
虛其心實其腹 弱其志强其骨
常使民無知無欲
使夫知者不敢爲也
爲無爲 則無不治

기원전 5~6세기 무렵, 세계의 여러 고대 문명 국가에서는 찬란한 문화를 꽃피워 뛰어난 학자와 사상가들이 나왔어.

그리스의 철학가 헤라클레이토스와 소크라테스

인도의 석가모니

중국의 노자와 공자 등이 모두 이 시기에 활동했지.

이들의 공통 관심사는 우주에 대한 의문과 인간의 고통과 불행에 대한 답을 찾는 일이었어.

동서양을 막론하고 예로부터 내려오는 보편적인 가르침은 '사람은 똑똑하고 강해야 한다.' 였지.
필승
하지만 이와 같은 생각을 깨뜨린 학자가 나타났는데, 그가 바로 노자였어.
그는 '사람은 부드럽고 어리석어야 한다.
강한 것은 부러지기 쉽고 부드러운 것은 온전하다.
참으로 지혜로운 자는 어리석게 보인다.' 라는 말을 했거든.
이러한 사상을 가진 노자는 어떤 사람일까?
《도덕경》을 쓴 노자에 대해서는 알려진 게 많지 않아.
언제 태어났는지도 분명하지 않고
부모가 누구인지도 모르지.
노자에 대한 기록은 여러 문헌에서 찾아볼 수 있으나
장자
여씨춘추
순자
한비자
이름과 나이도 모두 다르게 적혀 있어.
그래도 여러 기록 가운데 《사기》가 비교적 믿을 만한 역사서겠지?
《사기》라면 나 사마천이 쓴 책이라고!

그럼, 《사기》 노자전을 살펴볼까?
莫知其所終
五千餘言而去
言道德之意
書上下篇
於是老子著
彊爲我著書
子將隱矣
노자는 주나라 말기 초나라의 고현 여향 곡인리 사람이라 쓰여 있어.
곡인리
공자가 중국 북방에 위치한 노나라 사람이라는 것은 알고 있겠지?
산동성
노나라라면 지금의 산동성이지.
그래서 유가사상이 황허강 유역의 중국 북방 기질을 대표하고
북방은 춥고 메마른 환경의 영향으로 사람들도 억세고 투쟁적인 편이지.
도가사상은 양쯔강 유역의 중국 남방 기질을 대표한다고 볼 수 있지.
남방은 온화한 기후에 자원이 풍부하여 사람들 성격도 낭만적이란다.
《중용》에서 공자는 제자인 자로가 강함에 대해 묻자 이렇게 대답했어.
무기를 들고 갑옷을 입고 용감하게 나서는 것은 북쪽의 장점이다.
부드럽고 넓은 관용으로 무도함에 대해 복수하지 않는 것은 남쪽의 장점이다.
부드러움의 사상을 중시한 노자의 말을 볼까?
유연함이 곧 강한 것이다.(52장)
유연한 허리!
유약함이 강한 것을 이긴다.(36장)
미안합니다.
응, 그래. 그럼 용서해 줄까?
강함을 믿고 날뛰는 자는 제 명에 못 죽는다.(42장)
깡
깡
흔히 모난 돌이 정 맞는다고 하지?

이번에는 노자의 이름과 집안에 대해서 알아볼까?
《사기》에는 성은 이(李), 이름은 이(耳), 자는 담(聃)이라 하였지.
그런데 이씨는 춘추 시대에는 없었던 성이라고 해.
오얏리(李)의 '오얏'은 자두를 말해.
한편, 노자는 나이 든 지혜로운 선생님을 가리킨다고 보는 학자도 있지.
중국에서는 존경할 만한 사람에게 자를 붙이는 관습이 있거든.
그럼 노자의 직업은 무엇이었을까?
주 왕실 도서관인 수장실에서 사서에 해당하는 말단 관리였어.
사서는 도서관의 장서들을 분류 · 보관하고 대출 · 열람하는 일을 해.
노자는 조용히 책에 파묻혀 지내면서
수많은 책을 접할 수 있어서 역사를 꿰뚫고 많은 사상가들의 사상을 익힐 수 있었겠지.
그가 읽은 책들은 그로 하여금 세상에 대해 깊은 이해를 하게 하였을 거야.
역설과 반어법*의 대가인 노자의 지혜가 이러한 환경에서 만들어진 거라고 볼 수도 있지 않을까?
반어
역설

*반어법(反語法) – 상대편이 틀린 점을 깨우치도록 반대의 결론에 도달하는 질문을 하여 진리를 이끄는 일종의 변증법.

노자는 공자와 같은 시대를 살았어.
노자와 공자가 만났다는 이야기가 여러 문헌에서 전해져 내려오거든.
사기열전
노자서
대표적으로 사마천의 글을 보면 잘 나타나 있지.
설마 날 믿지 못하는 것은 아니겠지?
공자는 북쪽 노나라에서 남쪽 초나라까지 찾아가서 노자에게 예에 관해 물었대. 여기서 추측해 볼 수 있는 것은 무엇일까?
진정 예란 무엇입니까?
예란….
공자가 노자를 일부러 찾아가 가르침을 구했다는 사실로 미루어 노자가 공자보다 나이가 많거나 학문과 도가 높았음을 알 수 있겠지?
노자는 자신을 찾은 공자에게 이렇게 말했어.
당신이 인용한 말과 의견은 대부분 옛사람의 것이오.
옛사람은 이미 죽어 뼈마저 흙이 되었고, 다만 몇 마디 말만 맴돌고 있을 뿐이오.
군자는 때를 만나면 뜻을 이루지만 때를 못 만나면 고난의 길을 가야 하오. 훌륭한 학식과 재능은 깊이 감추어져 있어 텅빈 것과 같소. 군자의 덕망도 어리석은 것처럼 보여야 하오. 당신의 교만과 욕심과 자부심은 헛된 것이니 모두 버리시오. 당신 스스로에게도 무익한 것일 뿐이오.
나는 다만 이 말만 하겠소.

공자는 노자의 가르침을 받고 노나라로 돌아와
제자들에게 늘 노자를 찬양했다고 해.
새가 날 줄 안다는 것도, 고기가 헤엄을 칠 줄 안다는 것도, 짐승이 걸어다닐 줄 안다는 것도 누구나 알 수 있다. 하지만 용은 구름 위를 노닐기 때문에 예측할 수 없다. 노자는 바로 용과 같은 존재이다.

공자는 '아침에 도를 들으면
저녁에 죽어도 좋다' 고 늘 말했지.
朝聞道夕死可
조문도석사가
그래서 도덕이 높은 분이 초나라에 있다는 소문을 듣자 불원천리*하고
찾아간 거야.
도를 얻고자 함에 먼 길이 무슨 문제가 되겠는가!

*불원천리(不遠千里) – 천 리 길도 멀다고 여기지 않음.

후대 유가 학자들은 사실이 아니라고
부인하였지만
위대한 공자님이 노자를 찾아 도를 구했다는 말은 말도 안되는 소리요!
노자와 공자가 만난 것은
분명한 사실인 것 같아.
왜냐하면 《공자세가》에서도 이 사실은
잘 나타나 있는데
공자세가
《공자세가》는 사마천의 《사기》 중 사기세가에 속하는 책이야.

공자가 노자를 방문하고 헤어질 때 장면을 다음과 같이 적고 있거든.
내가 듣건대, 부귀한 사람들은 남에게 재물을 주어 보내지만 어진 사람은 말로써 보낸다 했소.
나는 부귀하지 못하니 어진 사람 흉내를 내어 당신을 말로써 보낼까 하오.

곧 총명하고 깊이 사리*를 살피면서도 죽음에 가까이 가는 사람은 남을 비판하기 좋아하는 사람이며, 말을 잘하고 널리 알면서도 그의 몸을 위태롭게 하는 사람은 남의 단점을 잘 들추어내는 사람이오. 그러니 자식 된 사람으로서 자기 고집이나 자기 생각만 해서는 안 된다오.

*사리(事理) – 사물의 이치.

노자는 세상의 모든 다툼은 인간의 욕심에서 비롯되고, 모든 죄악은 사람이 만들어 낸 것임을 깨달았어.

그는 주나라가 쇠퇴하자 말단 관직을 사퇴하고
툭!

주소왕 23년에 국경인 함곡관을 지나다가 국경 경비대장인 윤희를 만났어.

그때 윤희가 노자에게 부탁을 한 거야.
선생님께서 숨으려 하시니 저를 위해 글을 써주십시오.

윤희의 부탁을 받은 노자는 왕과 귀족들의 탐욕과 오만으로 망한

주 왕실이 중요하게 여기던 예의 허구를 날카롭게 풍자하면서

참다운 도와 삶에 대해 5,000여 자를 쓰고
그곳을 떠났어.
사마천은 그가 어디로 가서 어떻게 일생을
마쳤는지 아무도 모른다고 말했어.
노자한비열전
여기에서 공자가 숭상한 예에 대해
설명해야 노자의 이야기를 쉽게 알 수
있을 것 같아.
주나라가 무너지면서 신하가
무력으로 군주의 자리를 빼앗는
일이 많아지고,
낮은 신분도 공을 세워 높은
신분으로 행세하게 되었어.
노나라의 계씨는 자신의 신분이 대부*이면서도 집에서
잔치를 벌일 때 팔일무**를 추게 했어.
예에 따르면 천자는 여덟 줄, 제후는 여섯 줄,
대부는 네 줄이어야 해.
예가 땅에
떨어졌구나!

*대부(大夫) – 중국에서 벼슬아치를 세 등급으로 나눈 품계의 하나.
**팔일무(八佾舞) – 64명이 8줄로 정렬하여 아악에 맞추어 추는 춤으로 규모가 대단히 큼.

이를 본 공자는 크게 탄식하며
자신의 분수를 지켜 예로
돌아갈 것을 주장한 거지.
그 후 공자가 말한 예란 일상생활에서의 옳고 그름,
귀하고 천함, 위와 아래의 질서를 지키는 법이었지.

당시에는 천자, 제후, 대부 등의 신분에 따라 예법이 각각 달랐는데
예를 들면, 천자가 쓰는 그릇 수는 26개, 제후는 12개, 상대부는 8개, 하대부는 6개였지.
천자와 제후가 듣는 음악이 달랐고, 집의 규모도 달랐지.
길을 갈 때도 남자는 오른편, 여자는 왼편으로 가야 했어.
예는 제사를 지내는 법, 노동과 세금을 부담하는 규범까지 정해 놓았어.
한마디로 사회의 질서를 바로잡고 국가를 효율적으로 지배하는데 필요한 기준이 된 거야.
예법
공자는 아버지와 아들
내 말을 따르도록 해라.
알겠습니다, 아버님.
임금과 신하
어른과 아이 관계는 각자가 본분에 맞게 행동해야 한다고 믿었어.
공자는 옛날 요 임금, 순 임금과 같은 성인이 하늘의 도를 따라 예를 만든 거라 믿었어.
공자는 노자에게 이 예의 뜻을 물으러 찾아간 거지.
그런데 노자는 계급과 신분의 차이를 둔 예를 비판한 거야.

진나라의 재상 상앙이 만든 법을 보면
전쟁에 나가 적의 머리를 벤 숫자에 따라 벼슬이 올라가지.
노역도 면제되고, 물질적 혜택도 누리게 돼.
부럽다!
그러자 여자와 어린아이의 목을 베어 속이는 경우가 많았어.
진나라는 머리로 공을 세우는 나라라 하여 수공지국이라고 불렸지.
首功之國
상앙은 노역이나 군역*을 피해 도망가는 자는 허리를 잘랐는데 전국 시대의 참상을 엿볼 수 있어.
《한비자》 난이편을 보면 형벌이 얼마나 심하고 다양했는지 짐작이 되지.

*군역(軍役) – 군대에 가거나 군영에서 일하는 것.

제나라 재상 경공이 시장에 가서 안영이라는 사람에게 물가를 물었어.
이 신발 가격이 얼마인가?
뒤축이 없는 신발은 비싸고 보통 신발은 싸답니다.
경공이 형벌을 많이 내려 발꿈치를 잘린 사람들이 많았음을 빗댄 것이지.
왜 그런가?
형벌이 많아 그렇습니다.

노자는 형벌로 다스리는
정치판을 보고
그 폐해를 노래했어. 또한 56장과 57장에서, 진실한 도와 덕은 옳고 그름을 판단하는 데서 얻을 수 없고 인의와 예를 가지고 다스려도 혼란이 사라지지 않는다고 강조했어.
知者不言、言者不知、
塞其兌、閉其門、挫其銳、解其分、
和其光、同其塵、是謂玄同、故不可得而親、
不可得而疏、不可得而利、不可得而害、
不可得而貴、不可得而賤、故爲天下貴。
以正治國、以奇用兵、以無事取天下、
吾何以知其然哉、以此、天下多忌諱、
而民彌貧、民多利器、國家滋昏、人多伎巧、
奇物滋起、法令滋彰、盜賊多有、
故聖人云、我無爲而民自化、我好靜而民自正、
我無事而民自富、我無欲而民自樸。
법령이 자세할수록 백성은 가난해지는 이유는 무엇인가? 형벌이 무거워도 백성이 법을 어기는 이유는 무엇인가?
노자는 모든 물질 세계의
풍요와 문명 세계의
화려함 속에
고통과 비극을 꿰뚫어 보고
인간의 마음을 깊은 근원으로 돌아가게
만들고 싶었지.
그는 본질적이고 진실한 것은
물처럼 담백하여 요란하거나
현란하지 않고
말 없는 말로 자연과 대화하고 마음을 고요와 평안으로 인도한다고 믿은 거야.

노자의 중심 사상인 도는 우주와 만물의 근원이고
우주 만물의 변화 원리이기도 해.

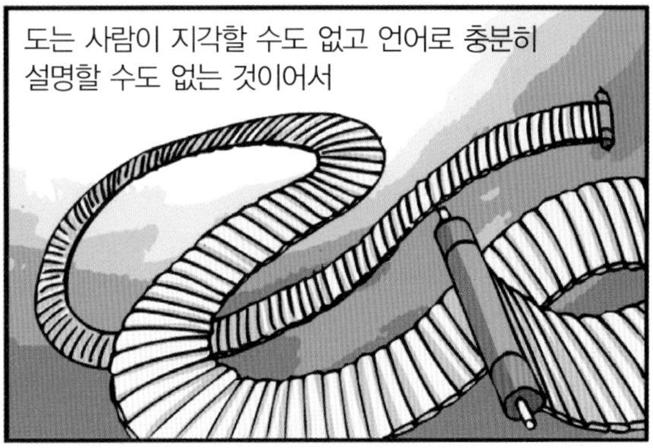
도는 사람이 지각할 수도 없고 언어로 충분히
설명할 수도 없는 것이어서

노자는 《도덕경》 25장에서 다음과 같이 설명하고 있어.
有物混成、先天地生、寂兮寥兮、獨立不改、
周行而不殆、可以爲天下母、
吾不知其名、字之曰道、强爲之名曰大、
大曰逝、逝曰遠、遠曰反、故道大、
天大、地大、王亦大、域中有四大、而王居其一焉、
人法地、地法天、天法道、道法自然。
나누어지지 않은 어떤 무엇이
하늘과 땅보다 먼저 있었네.
소리도 없고 형체도 없으니
무엇에 의존하지 않고, 변하지도 않고
두루 편만하여 계속 움직이나
없어질 위험이 없다.
가히 세상의 어머니라 하겠다.
나는 그 이름을 모른다.
다만 억지로 도라고 불러본다.
구태여 형용하라면 크다고 하겠다.

그래서 1장에서 노자는 '도를 도라고
말하면 참된 도가 아니다.' 라고 했지.
도가도 비상도
(道可道 非常道)

노자의 도는 만물을 통해 가득
채워지기도 하고 비워지기도
하지만
도
도

도 자체는 채워지거나 비워지는
일이 없다 하였고
道
水

도는 만물을 통해 번성하거나 쇠퇴하지만
도 자체는 번성하거나 쇠퇴하는 일이 없고
道
도는 만물을 통해 못하는 일이 없지만 도 자체는 하는 바가 없다고 했어.
노자는 선불교의 큰스님인 임제 선사에게도 큰 영향을 주었는데
어떤 학자는 임제 선사야말로 노자의 진정한 계승자라고 말했어.
노자의 사상은 불교가 인도로부터 건너와 독특한 중국 선불교*로 확립되는 데에도 결정적 역할을 하였지.

*선불교(禪佛敎) – 중국에서 6세기부터 발전한 대승 불교의 한 흐름.

한편, 우리나라에서는 조선 시대 임진왜란이 일어나자
와아아–
전국의 승병을 총지휘한 서산 대사도 노자의 사상에 영향을 받아 《삼가귀감》을 지었지.

이렇게 후대에 수많은 학자들에게 영향을 미친 노자는
태어나서 자란 과정도 알려지지 않았지만, 말년의 행적도
알려진 게 거의 없어.

다만 사마천이 《사기》에서 노자를 숨어 산
군자로 기록하듯이

자기의 이름이나 행적을 드러내지 않은 노자이기에 생애가
자세하게 알려지지 않은 게 우연은 아닌 것 같아.
노자님
노자님
노자님

《도덕경》 21장에 '잘 가는 사람은 발자국을 남기지 않는다.' 고 한 것을 그대로 실천하였다고 할까?
이상하네?
왜 발자국이
내 것뿐이지?

《사기》에 따르면, 노자는 160여 세까지 살았다고도 하고, 혹은 200여 세까지 살았다고도 하는데
십장생 중 하나인 나 학보다도 오래?
노자의 자(字)는 담(聃)인데, 담(聃)을 풀어 설명하면 이만(耳曼), 즉 귀가 길다는 뜻이야.

귀가 긴 사람은 장수한다는 이야기가 있는데, 노자의 나이가 많았음을 나타내는 내용이라고 할 수 있어.
이후 종적이 묘연한 것을 두고
800세를 살았다고 신격화했지만
십장생*에 노자도 끼워 줘야 하나?

＊십장생(十長生) – 오래도록 살고 죽지 않는다는 열 가지. 해, 산, 물, 돌, 구름, 소나무, 불로초, 거북, 학, 사슴.

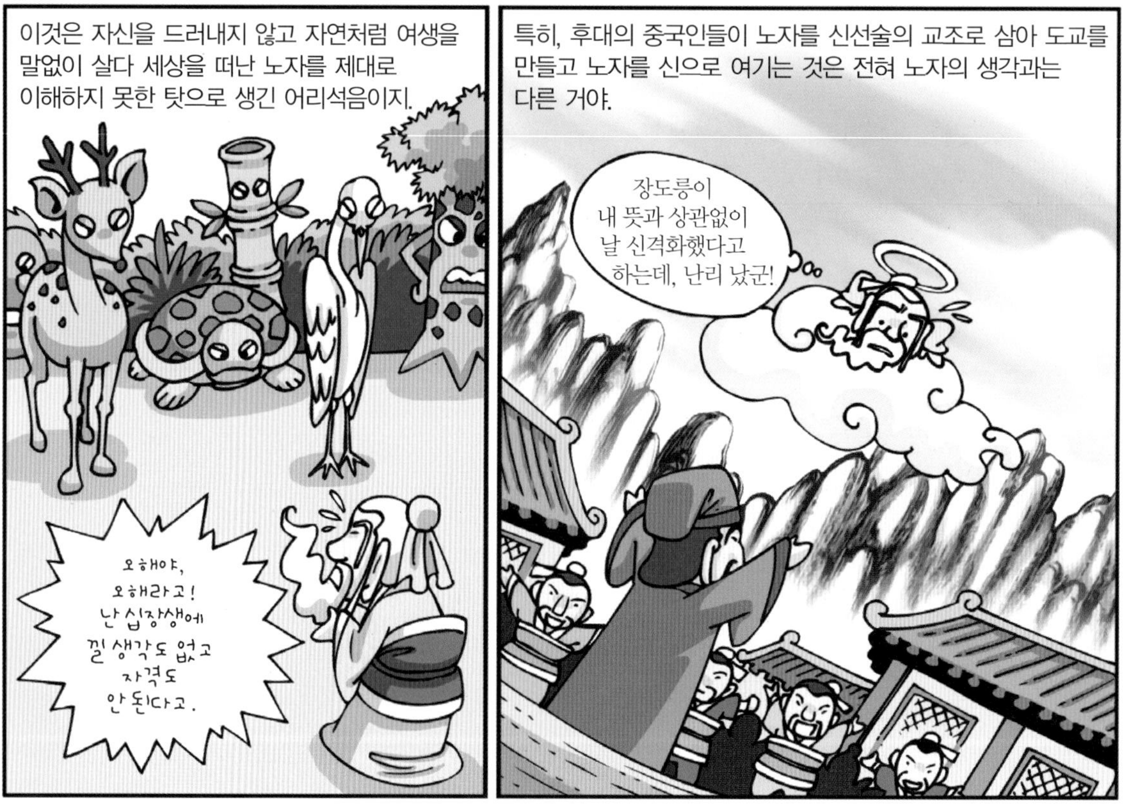
이것은 자신을 드러내지 않고 자연처럼 여생을 말없이 살다 세상을 떠난 노자를 제대로 이해하지 못한 탓으로 생긴 어리석음이지.
오해야, 오해라고! 난 십장생에 낄 생각도 없고 자격도 안 된다고.
특히, 후대의 중국인들이 노자를 신선술의 교조로 삼아 도교를 만들고 노자를 신으로 여기는 것은 전혀 노자의 생각과는 다른 거야.
장도릉이 내 뜻과 상관없이 날 신격화했다고 하는데, 난리 났군!

노자는 그렇게 자연처럼, 물처럼, 허공처럼 살아간 참사람이야.
그의 진정한 모습을 잡을 수 없는 게 어쩌면 당연할지도 몰라.

춘추·전국 시대 이전에는 어떤 나라들이 있었을까?

하(夏)

중국 최초의 국가로 알려져 있지만 신화 속의 나라라고 할 수 있습니다. 덕이 많은 요 임금, 순 임금 등이 태평성대를 이루었다는 시대가 여기에 속합니다. 《시경》과 《서경》은 없어진 부분이 있어서 완전하지는 않지만, 그런대로 하나라 때의 일을 알 수 있는 기록이랍니다. 요 임금이 왕의 자리를 순에게 물려주고, 순 임금이 다시 우에게 물려주었는데, 이때 사방의 제후들이 모두 우를 추천했으므로 그 능력을 시험하기 위해 수십 년간 일을 맡겨 공적을 세우게 한 뒤 나라 일을 맡겼습니다. 우 임금은 자신의 아들 계에게 왕위를 물려주어 중국 역사의 왕위 세습제도를 마련하기도 했습니다.

하나라는 오래도록 우 임금의 자손들에 의해 통치되다가 우 임금의 17대 손인 걸왕의 전제 정치로 민심을 잃게 되었습니다. 그러자 탕은 여러 제후들의 도움을 받아 걸왕을 내쫓고 은나라(상나라)를 세웠답니다.

은(殷)

중국 역사에서 최초의 국가로 보는데, 그 이유는 1899년 우연히 갑골문자가 발견된 후 은의 수도였던 은허에서 수많은 유물이 발굴되었기 때문입니다. 하나라와는 달리 실재로 있었던 왕조라는 게 밝혀졌습니다.

은나라는 정교하고 세련된 청동기를 사용하였으며, 신의 뜻을 물어 정치를 하였습니다. 우리가 알고 있는 갑골문자는 점을 치는 신관이 거북의 등껍질이나 짐승의 뼈에 새긴 문자입니다. 이렇게 발전하던 은나라는 서쪽에서 일어난 주족에 의해 멸망했습니다.

▲ 새 모양의 조각이 있는 은나라 시대 그릇.

주(周)

중국 역사에서 가장 오래 유지된 나라로, 이 시기에 철기의 사용이 시작되었습니다. 주나라는 덕치를 강조하는 천명 사상과 가족 제도 및 제례 의식을 중시하는 예 사상을 중심으로 요순 시대를 이어받은 이상적인 시대라고 불린답니다.

주나라를 세운 무왕의 동생 주공이 봉건제와 정전제를 실시하면서 국력이 점차 강력해졌습니다. 주공은 제후들의 반역을 막기 위해 예 사상을 확립하여 제례를 중요시하였으며, 왕실 제사에 제후들이 참석하도록 했습니다.

봉건제는 왕권이 닿지 않는 지방에 제후를 봉함으로써 통치를 쉽게 하였고, 정전제는 지배층이 농민의 노동력을 효율적으로 통제할 수 있게 하였습니다. 무왕부터 소왕, 목왕에 이르기까지 주 왕조는 전성기를 맞았으나, 기원전 9세기부터는 제후의 반란과 유목 민족의 침입으로 국력이 약화되었습니다.

주나라의 12대 왕인 유왕은 포사라는 미녀에게 빠져 정사를 멀리하고, 급기야는 포사의 아들에게 세자의 자리를 주고 원래의 왕비를 폐하였습니다. 그러자 왕비의 아버지였던 신후가 견융이라는 유목민을 이끌고 침입하여 유왕은 피살되었고, 그의 아들 평왕이 동쪽 낙읍으로 천도하였습니다. 이를 기준으로 서주 시대와 동주 시대로 구분합니다. 동주 시대부터는 국력이 쇠약해져 이름만 남아 있는 왕조가 되었는데 본래 주 왕조의 제후였던 나라들이 각기 독립을 주장하고 국력을 발전시키면서 춘추 · 전국 시대가 펼쳐진답니다.

▲ 청동으로 만든 주나라 시대 그릇.

周

제3장
도는 만물의 근본이다

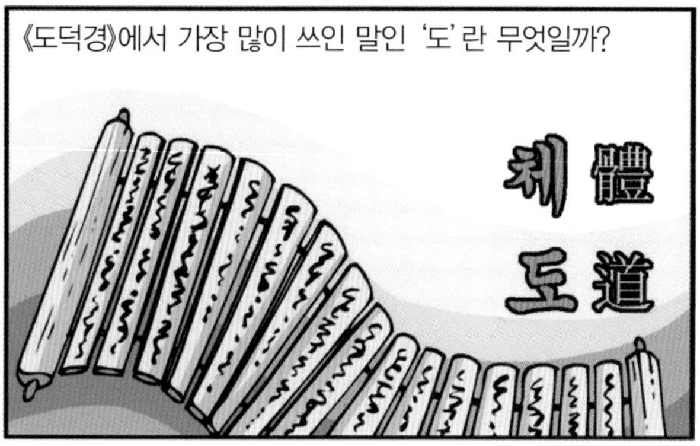
《도덕경》에서 가장 많이 쓰인 말인 '도'란 무엇일까?
체 體
도 道

도를 도라고 하면 그것은 진정한 도가 아니다.
《도덕경》 1장은 이렇게 시작해.
道可道 非常
名可名 非
無名天地
名萬物之

도를 설명하지는 않고 다짜고짜
무슨 말일까?
도가도 비상도

일단 도라고 부르면 사람들은 도라는
말에 얽매이게 되어 버린다는 거야.
道
이름 한 번
불렀을
뿐인데!

예를 들어 신이라 이름 붙이면
사람마다 신을 그려보게 되고,

나름대로 신을 규정하여 자기가 이해하고 상상하는 신을 믿게 되지.
신이란 이런 분이야.
하지만 그것은 본래의 신이라 할 수 없어.
당연하지!
윽! 신이 사람을 치네.
신을 절대적인 존재로 정의하는 한 신에게는 이름도 붙일 수 없고 형상으로 그릴 수도 없는 것이지.
역시 도저히 그릴 수가 없어.
만약 무언가를 그리고 대상을 정하여 믿는다면 절대적 존재가 아닌 상대적 존재가 되어 우상이 되고 마는 거지.
이분이 진짜 신이라고!
무슨 소리! 이분이 진정한 신이라니까!
이처럼 노자가 말하는 도는 영원히 변함없는 절대적인 진리, 우주의 근원적 실재를 가리키는 말이어서 단순하지 않아.
道
모든 시대에 적용되는 변함없는 진리는
산은 산이요, 물은 물이다. 이와 같이 변함없는 것을 진리라 할 수 있을까?
제한된 시간과 공간에 적용되는 일시적인 진리와 구별해야 해.
차는 오른쪽, 사람은 왼쪽, 이런 규범은 지켜야 하지만 상황에 따라 달라질 수 있지.
영국, 일본은 우리나라와 달리 반대로 되어 있으니 말이야.
그래서 노자는 모든 시대에 항상 적용되는 진리를 상도(常道)라 했어.
영원한 도는 형체도 없고 말로 설명할 수 없고 이름 붙일 수 없다는 것이지.
내가 그렇게 어려운 존재란 말인가?
좀 더 노자의 설명을 들어보면서 도를 이해하기로 하자.

노자는 도를 《도덕경》 25장에서 이렇게 표현하고 있어.
有物混成、先天地生、寂兮廖兮、獨立不改、
周行而不殆、可以爲天下母、
吾不知其名、字之曰道、强爲之名曰大、
大曰逝、逝曰遠、遠曰反、故道大、
天大、地大、王亦大、域中有四大、而王居其一焉、
人法地、地法天、天法道、道法自然。
나누어지지 않은 어떤 무엇이
하늘과 땅보다 먼저 있었네.
소리도 없고 형체도 없으니
무엇에 의존하지 않고, 변하지도 않고
두루 편만하여 계속 움직이나
없어질 위험이 없다.
가히 세상의 어머니라 하겠다.
나는 그 이름을 모른다.
다만 억지로 도라고 불러본다.
구태여 형용하라면 크다고 하겠다.

도는 천지 만물이 분화되기 이전이라 말로 표현할 수 없고 이름도 없다는 거야.

도는 절대적인 표현이 아니라 무어라 형언할 수 없어서 마지못해 도라 이름 붙인 것일 뿐이고
내 이름이 뭐지?
알았어. 도라고 불러 줄게.

굳이 설명하라면 무한하게 큰 것이라고 노자는 이야기하고 있지.
道
커도 너무 커.

노자는 32장에서도 이를 다시 강조했어.
天下莫能
侯王若能守
萬物將自賓
天地相合以降甘露
民莫之令而自均
始制有名名亦旣有
夫亦將知止 知止
譬道之在

도는 영원하지만 이름이 없다.
통나무처럼 비록 작고 초라해 보여도
감히 세상에서 신하로 삼을 자 없다.

통나무를 마름질하면 비로소 이름이
생긴다. 도가 전개되면 세계가 형성되고
비로소 만물이 이름을 갖게 된다.

도는 이름도 없고 잡을 수도 없지만 일단 전개되면
천지 만물로 형태를 갖추게 되고 이름이 생겨난다.
이런 도는 과연 설명이 가능한 것일까?
앞에서도 말했지만 말하는 순간 도는 이미 도가 아닌 거야.
도란 이러이러하다, 진리는 무엇이다,
모두 그렇게 설명하는 데 대해 노자는
도는.
진리는.
아냐!
아~.
그러한 설명들을 부정하고
나선 거야.
도에는 만물의 이치가 포함되어 있지만
형상도 소리도 없으니, 이러한 이치는 언어나 문자로는 설명할 수 없다.
어떤 개념이 아니니, 말로 설명할 수 없고,
어떤 현상이 아니니, 눈으로 볼 수도 없고
어떤 소리가 아니니,
귀로 들을 수도 없고
어떤 대상이 아니니,
손으로 만질 수도 없어.
그러므로 노자가 말하고자 하는 도는, 느끼거나 생각할 수 있는 그 이상의 것이라 할 수 있지.

노자는 또한 14장에서 도를 이렇게 표현했어.
보아도 볼 수 없고,
들어도 들리지 않으며,
잡아도 잡히지 않으니
이 셋으로도 밝힐 수 없어
세 가지가 하나가 된다.(혼연일제)
그 위라서 더 밝은 것도 아니고
그 아래라서 더 어두운 것도 아니다.
끝없이 이어지니 무어라
이름 부를 수 없다.
도는 현실에서 경험하는 모든 사물과는 달리 구체적인 형상을 지닌 사물이 아니야.
그래서 노자는 말했어.
보이지도, 들리지도, 잡히지도 않는다.
또 그것을 마주 보아도 머리가 보이지 않고, 따라가도 끝이 보이지 않는다.
도는 우리의 감각 기관으로 알 수 없다는 거야.
오감*으로 알 수 없다 하여 없는 건 아니겠지?
도는 인간의 모든 감각 기관과 지각 능력을 초월하므로
감각과 분별로 포착할 수 있는 대상이 아니라는 것이지.
?
슝

*오감(五感) – 시각, 청각, 후각, 미각, 촉각의 다섯 가지 감각.

아름답고 추함을 분별하는 것도 본래 미와 추가 있어서 그런 게 아니야.
아름다운 분에게 청혼해야 하는데, 누가 아름다운 분이지?
분별하였으므로 미추가 생긴 거야.
뭘 고민해요!
뻥
윽!
당연히 내가 아름답죠.
힝~ 미의 기준은 누가 정한 거야!

이해가 되었겠지? 어렵다고?
그래, 이 부분은 상대적인 개념인데 차차 자세히 설명하도록 하지.
다시 1장을 볼까? 노자는 이렇게 말했어.
名可名非常名
나에게도 이름을 지어줘.
이름을 지어 부르면 그것 또한 진정한 이름이 아니지.
예를 들면 홍길동이라는 사람이 있어.
난 홍길동 이라고해.
홍길동
하지만 홍길동이라는 이름이 그 사람은 아니지.
뚝!
홍길동
이해하기 어렵다고? 그렇다면 더 쉽게 설명해 볼까?
홍길동이라는 이름이 안 좋다고 홍길수라 부른다면 길동과 길수는 다른 이름이지만 그 사람이 달라진 건 아니라는 거야.
!
홍길수
턱
다시 말해 길동이란 이름도 길수란 이름도 진정한 그 사람이라 할 수는 없어.
나를 표현할 수 있는 것은 무한하지만
홍길동
홍길수
청년
남자
그것이 나는 아니야. 나는 그냥 나야.
그 사람의 됨됨이는 무어라 설명하거나 이름으로 온전히 대신할 수 없는 것처럼
나는 나야.
모든 사물의 본질인 도를 표현한다면 도 자체가 아니라는 이야기지.

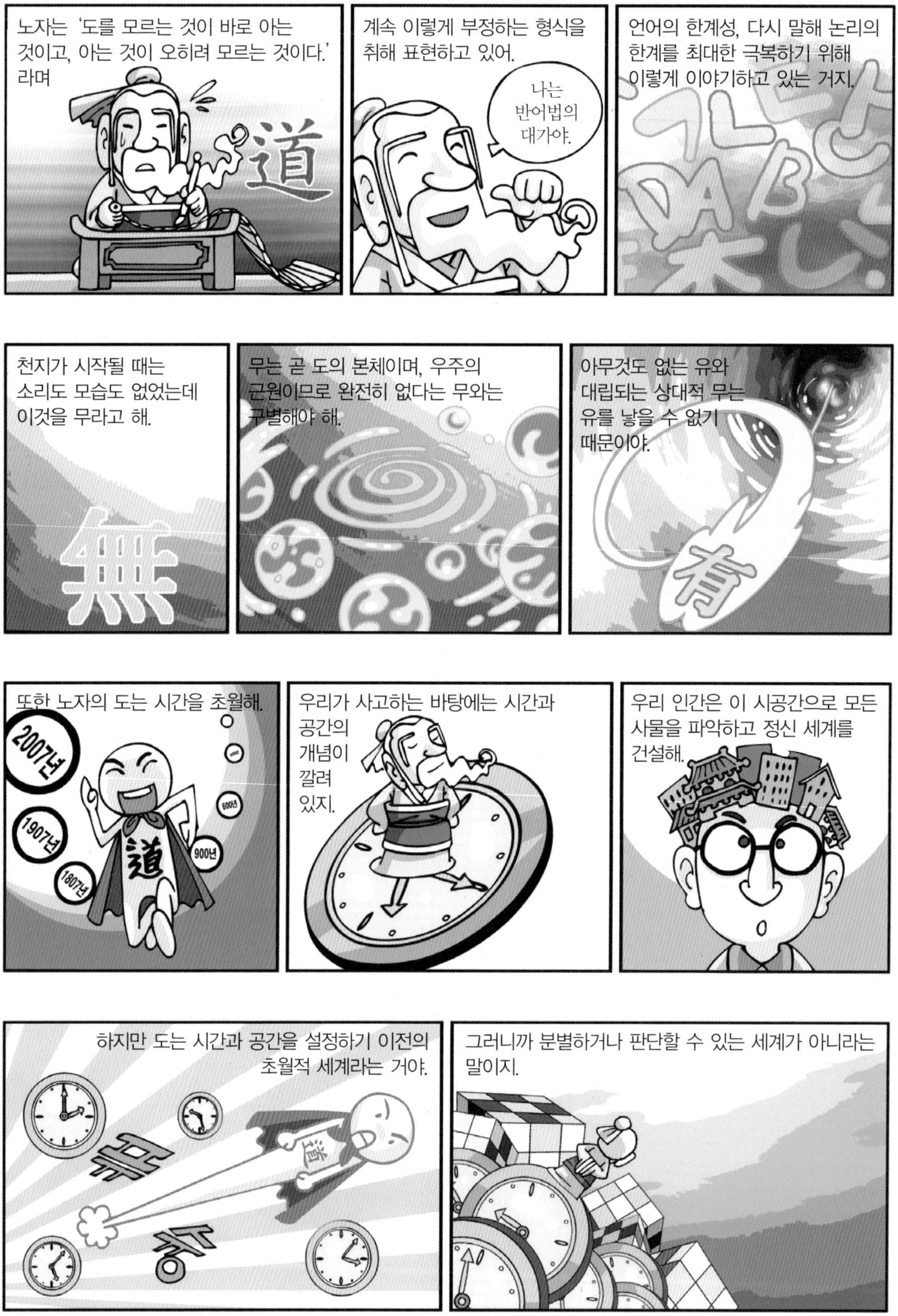

노자는 '도를 모르는 것이 바로 아는 것이고, 아는 것이 오히려 모르는 것이다.' 라며
道
계속 이렇게 부정하는 형식을 취해 표현하고 있어.
나는 반어법의 대가야.
언어의 한계성, 다시 말해 논리의 한계를 최대한 극복하기 위해 이렇게 이야기하고 있는 거지.
천지가 시작될 때는 소리도 모습도 없었는데 이것을 무라고 해.
無
무는 곧 도의 본체이며, 우주의 근원이므로 완전히 없다는 무와는 구별해야 해.
아무것도 없는 유와 대립되는 상대적 무는 유를 낳을 수 없기 때문이야.
有
또한 노자의 도는 시간을 초월해.
2007년
1907년
1807년
900년
600년
道
우리가 사고하는 바탕에는 시간과 공간의 개념이 깔려 있지.
우리 인간은 이 시공간으로 모든 사물을 파악하고 정신 세계를 건설해.
하지만 도는 시간과 공간을 설정하기 이전의 초월적 세계라는 거야.
道
그러니까 분별하거나 판단할 수 있는 세계가 아니라는 말이지.

노자는 도라는 것은 머리로 이해할 수
없고 가슴으로 느끼고 체험하는
세계라고 말했어.
道
도는 그 이상이어서 도저히 언어로는
표현의 한계가 있다는 거야.
1장을 계속 읽어 보면
다음과 같은
글이 나와.
무는 천지의 시작이요, 유는 만물의 어머니이다.
그러므로 항상 무로 그 오묘함을, 유로 그것의
드러남을 보고자 한다. 무와 유는 함께 나왔지만 이름이
다르고, 모두 현묘(玄妙)하다고 불린다.
현묘하고 현묘하니 모든 현묘의 문(門)이다.
道
無
有
여기서도 도는 모든 존재의 근원을 가리키고 있어.
즉, 자연계에서 최초의 원인인 셈이야.
道
천지의 만물이 무성하게 자라는 것은 모두 도의
잠재력이 쉴새없이 창조와 발육을 하는 일종의
표현이라 할 수 있지.
道
도가 창조와 생산작용을 하면
만물이 탄생하는데, 이를 유라 하며,
이 세상 자체가 바로 도의
작용이라는 거야.
무는 도의 본체이고,
유는 도의 작용인 셈이지.
無
그래서 노자는 무와 유 모두 도에서
나온 것으로 이름만 다를 뿐 같고,
우주 만물의 근원을 무라 보고, 무를 도의
본모습이라 보는 거야.
無
有
道

그럼 도의 작용에 대해 알아볼까?
사물이 쓰이려면 비어 있어야 한다.
11장 내용을 살펴보면 30개 바퀴살로 이루어진 수레바퀴도 중앙에 구멍이 없으면 바퀴축이 들어갈 수 없고 바퀴는 회전할 수 없다고 해.
이상하네? 바퀴가 왜 안 들어가지?
툭
툭
바퀴가 회전하기 위해서는 바퀴 중심에 공간이 있어야 해.
덜컹
덜컹
사물이 쓸모 있는 것은 비어 있기 때문이라는 거야.
수레바퀴가 구멍이 없다면 바퀴로서 쓸모가 없겠지?
유가 존재하는 이유는 무 때문이라는 거지.
바퀴 가운데가 비어 있으니 바퀴로서 존재할 수 있는 것이지.
그릇 또한 그러한데
그릇은 그 씀씀이로 말하면 그릇으로 보이는 형태(유)에 있는 것이 아니라, 그릇 안에 있는 빈 공간(무)에 있어.
無
그런데 그릇이라 할 때 공간은 제외하고 그릇만 보지.
이처럼 우리는 보이는 것만 보려 하는 치우침을 가지고 있어.
그릇의 무늬가 참 예쁘네요.
따라서 그릇이라는 이름은 그릇을 온전히 다 표현한 것이 아닌 셈이지.
노자는 그릇이라는 이름은 참되지 못하다고 봤어.
있는 것은 없는 것을 바탕으로 가능한 것이지.

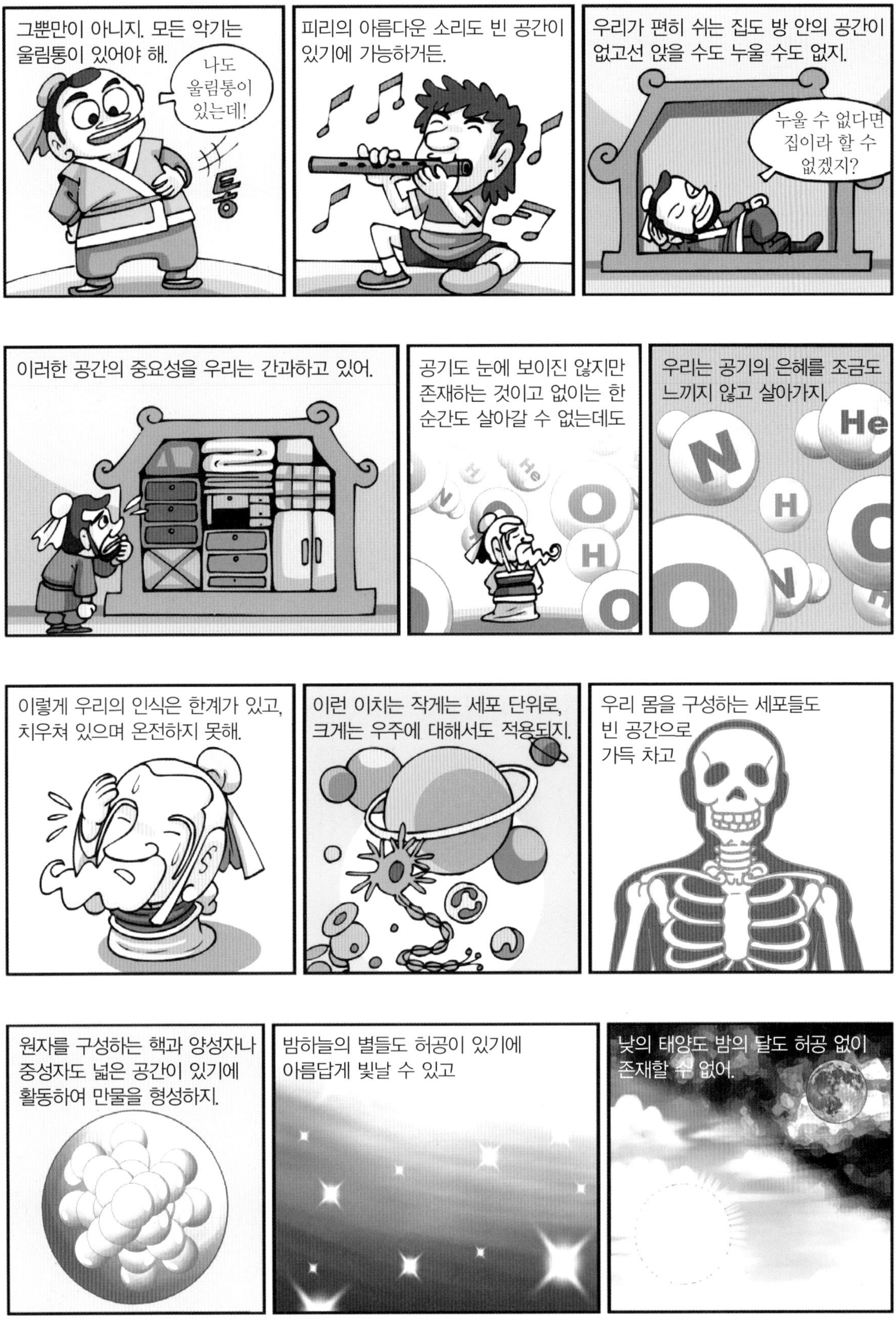
그뿐만이 아니지. 모든 악기는
울림통이 있어야 해.
나도
울림통이
있는데!
통
피리의 아름다운 소리도 빈 공간이
있기에 가능하거든.
우리가 편히 쉬는 집도 방 안의 공간이
없고선 앉을 수도 누울 수도 없지.
누울 수 없다면
집이라 할 수
없겠지?
이러한 공간의 중요성을 우리는 간과하고 있어.
공기도 눈에 보이진 않지만
존재하는 것이고 없이는 한
순간도 살아갈 수 없는데도
우리는 공기의 은혜를 조금도
느끼지 않고 살아가지.
He
N
H
O
이렇게 우리의 인식은 한계가 있고,
치우쳐 있으며 온전하지 못해.
이런 이치는 작게는 세포 단위로,
크게는 우주에 대해서도 적용되지.
우리 몸을 구성하는 세포들도
빈 공간으로
가득 차고
원자를 구성하는 핵과 양성자나
중성자도 넓은 공간이 있기에
활동하여 만물을 형성하지.
밤하늘의 별들도 허공이 있기에
아름답게 빛날 수 있고
낮의 태양도 밤의 달도 허공 없이
존재할 수 없어.

우리의 마음도 온갖 생각으로 끊임없지만 그 배경은 비어 있지.
비어 있지 않으면 새로운 생각이 일어날 수 없을 테니 말이야.
하늘의 구름은 생겨났다 사라지기를 반복하지만
텅빈 하늘은 본래 변함이 없어. 있음과 없음이 함께 어우러져 세계가 조화롭게 흘러갈 뿐이야.
사실 있다 없다 구분하고 개념 지은 것도 사람의 판단일 뿐
진실로 있음과 없음은 아니지.
펑
펑
그래서 노자는 도라고 할 수 없으나 도라 부른다고 한 거야.
道
둥!
이제 눈에 보인다고 있고, 보이지 않는다고 없다고 단정할 수 없지?
보이지 않아도 존재하는 것은 존재하는 거야.
그러면 여기에서 이런 의문도 들 거야.
그럼 도란 있는 것인가요, 없는 것인가요?
도는 텅 비고 깊어 분명하지 않으나 엄연히 있지.

道 沖而用之 或不盈
淵兮似萬物之宗 挫其銳 解其紛
和其光 同其塵 湛兮似或存
吾不知誰之子 象帝之先
나는 그것이 어디에서 나온 것인지 모르지만 하느님(상제)보다 앞서 있었던 것 같다.

도는 오로지 있는 듯 없는 듯 황홀할 뿐이다.
홀은 없는 것 같지만 분명히 있고
황은 있는 듯하지만 볼 수 없는 것을 말한다.
황홀은 없는 듯하지만 분명히 존재하고,
있는 듯하지만 실체를 잡을 수 없는 상태를 말한다.
이 황홀 속에 우주만상이 있고
황홀 속에 천지만물이 들어 있다.
(21장)

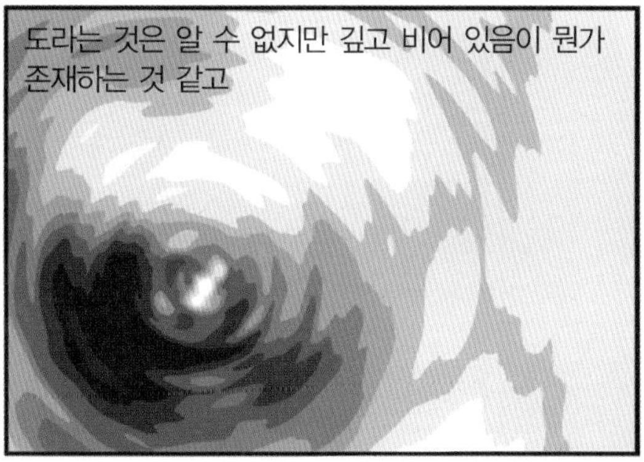
도라는 것은 알 수 없지만 깊고 비어 있음이 뭔가 존재하는 것 같고

누구의 아들인지 알 수 없지만 하느님보다 먼저 있었음에 틀림없다고 노자는 말하고 있어.

도는 깊고 그윽하여 그 안에 일체 생명의 씨앗이 깃들어 만물의 근원이 되고
天
雲
山
木
水

자연을 깊이 바라보면 천지만물은 무에서 유로, 유에서 무로 순환함을 알 수 있어.
겨울이 되면 천지는 비어 고요하지만
따뜻한 기운이 일어나 봄이 오면 만물이 피어나지.
밤의 고요와 적막에서 만물이 사라졌다가
아침에 동이 트면 만물은 기지개를 켜고 활동을 시작하지.
이와 같이 유와 무의 조화가 우주의 이치인 도라는 거야.
道
크다는 것은 끝없이 멀리 뻗어나간다는 것, 멀리 나간다는 것은 되돌아온다는 것. 그러므로 도는 크고, 하늘도 크고, 땅도 크고, 사람도 크다.
(25장)
하여 사람은 땅을 본받고, 땅은 하늘을 본받고, 하늘은 도를 본받고, 도는 자연을 본받는다.

또한 되돌아옴이 도의 움직임이야.
쓩-
도는 돌아오는 거야!
노자는 멀리 우주로 펼쳐지다가
빡!
다시 하나로 돌아오는 것이 도의 모습이라고 이야기했어.
쓩
헉! 돌아오네.
물은 낮은 곳을 좋아하되, 깨끗하고 더러움을 구분하거나 차별하지 않는다고 해.
무심히 흐르다가 멈추고
추우면 얼고
더우면 증발하여 구름이 되잖아.
물의 자유로운 모습
그치지 않고 사라지지 않고 순환하는 것이 도를 잘 상징하고 있지.
쏴아

도는 항상 하는 일이 없지만, 하지 못하는 것도 없어.
텅 비어 있고 신묘한 도는
천지만물을 낳는데
그 작용이 무궁무진하다.
이를 신령한 계곡, 즉 곡신이라 부르고,
불가사의한 암컷, 즉 현빈이라 부른다.
천지만물이 도를 떠나 존재할 수 없다.
도를 의지하여 천지만물은 끊임없이
변화하면서 새로워지기를 그침이 없다.
이들을 움직이는 근본은 흐리멍덩하여
없는 듯하지만 엄연히 존재하고
무심하여 형상이 없지만 그 작용은 오묘하다.
이를 현묘라 한다.
(6장)

노자는 도가 자신의 모습을 감추고 있어 검다(玄)고 해.
검다는 것은 단지 색깔이 까맣다는 것이 아니야.

여기서 현(玄)은 깊은 연못처럼 오묘하고 그윽함을 말해.

헤아리기 어려운 미묘함을 뜻한다 할 수 있겠지.

히말라야 산봉우리들이 짙은 구름에 잠겨 있는 모습을 본 적 있어?
전체의 모습을 드러내지 않았을 때 그 신비하고 장엄함이란 목격하지 않으면 모르지.
새벽 여명이 아직 탄생하기 전의 어둠은 한밤의 어둠과 달라.
밝음과 상대적인 암흑의 어둠이 아닌 빛을 잉태한 어둠을 노자는 현(玄)이라 표현하지.
태초의 혼돈과 같은 표현이지.
그래서 노자는 도를 만물을 낳는 암소인 현빈(玄牝)으로 비유한 거야.
玄牝之門
是謂天地根
綿綿若存
用之不勤
도는 생명을 산출하는 자궁의 문이라 어두운 것과 같은 이치니 아무리 써도 다하여 없어짐이 없을 것이다.

제4장
도와 덕의 관계
이처럼 미묘하고 헤아리기 어려운 도를 터득한 사람은 어떤 모습일지 궁금하지?
학을 타고 하늘을 나는 신선이나 호랑이를 거느리는 산신의 모습이 떠오른다고?
틀렸어. 다시 생각해 봐.
쿵
아마도 옛날 도교에 대한 지식 때문에 그렇게 떠올릴 거야.
그러면 도가 구체적으로 삶에서 어떤 모습으로 나타나는지 보여 주는 덕에 대해서 살펴볼까?

41장에 이런 말이 있어.
밝은 도는 어두운 것 같고,
나아가는 도는 물러나는 것 같고,
자유로운 도는 오히려 얽매인 것 같다.
뛰어난 덕은 골짜기 같고, 넓은 덕은 부족한 것 같다.
질박하고 진실한 것은 변하는 것 같고
큰 그릇은 늦게 이루어지고(대기만성;大器晩成),
큰 소리는 소리가 없으며, 큰 모양은 모습이 없다.
도는 숨어 있어서 이름이 없다.
道
?
노자가 말하는 도덕은 일반적인
도리를 완전히 벗어나는 거야.
?
도
일반적으로 훌륭한 것은 빛나고
우러러보이는 법인데
존경해요. 박사님!
도는 깊숙이 감추어져 드러나지
않기 때문에 형체를 볼 수
없거든.
도대체 어디 있는 거야?
도야!
다시 말해 도덕의 깊은 뜻은
밖으로 나타내는 것이 아니라
도덕
안으로 되돌아보는 것이지.
?
쏙!
때문에 도의 작용인 덕은 겸손하고
소박하고 부족한 것처럼 보이지.
도를 따라 덕을 배운다.

보통 사람들은 밝지 않고 부족한 듯한 덕의 가치를 짐작할 수 없음을 비유한 것이지.
수평선 너머를 볼 수 없다고 하여 수평선이 세상의 끝은 아니지.
노자는 드러나지 않은 무를 도로
무가 도라면 ….
도
무
형상으로 드러난 유를 덕으로 표현했다는 걸 알 수 있지.
도
덕
무와 유의 관계, 도와 덕의 관계는 닮았다고 볼 수 있는 거야.
도
덕
무
유
우린 서로
쌍둥이 형제야.
지금까지 계속 이야기했지만, 동양의 사고는 이분법적 사고가 아니야.
도는 흑백 논리로 설명할 수 없어.
유와 무나 도와 덕도 서로 떼어서 생각할 수 없는 관계이지.
우리는 원래 하나여서
떨어질 수 없어.
동전의 앞면과 뒷면처럼 한 몸이면서 둘로 표현되는 거지.
2007
100
한국은행
이 점에 기억하면서 《도덕경》 51장을 계속 읽어 볼까?
도
덕
도는 낳고 덕은 기르며, 자라게 하고 길러 주며, 안정되게 하고 덮어 준다.

낳아도 소유하지 않고,
자기가 하고도 자랑하지 않으며,
기르고도 지배하려 들지 않는다.
이를 일러
그윽한 덕(현덕;玄德)이라 한다.
마치 훌륭한 어머니가 연상되지 않니?
이처럼 도덕경의 도는 만물을 낳은 어머니야.
지극한 덕을 잘 설명하고 있구나.
서양의 창조주 개념과 비슷하지만, 내용은 다르니 잘 비교해 보도록 해.
하느님 아버지
만사를 주재하고 만물을 지배하는 나 여호와 하느님
도와 덕은 모든 존재의 근원이되 존재하지 않고
道德
따라서 소유하려 하거나 지배하려 들지 않는다는 게 특징이야.
내 거야!!
있는 대로 자연스럽게 놓아둔다는 게 서양의 호전적인 모습과 달리 평화롭지?
자연과 함께 하는 법을 배워.
개발
물줄기를 인위적으로 조작하여 수로를 만드는 게 아니라
개발
스스로 물길을 잡아 시내가 되고 강이 되고 바다가 되도록 놓아두는 거지.

훌륭한 어머니는 자식을 지배하거나 소유하려 들지 않아.
일일이 관여하고 지배하면
아이는 반발하거나 주눅 들어.
훌륭한 스승은 제자를 대할 때에 자신의 지시를 따르면 사랑하고
사랑하는 제자들은 나의 말만 따르면 돼.
자신을 따르지 않는다고 처벌하지 않아.
착한 학생!
넌 누굴 닮아서 말을 안 듣냐?
내가 낳았다고 자식의 모든 것을 지배하고 관여하면
자식은 반발하거나 위축되어 온전히 자랄 수 없게 되지.
나 좀 그냥 놔둬요.
도와 덕은 자식이나 백성들을 존중하고 귀하게 여기는
자발성과 자율성을 특징으로 해.
우리는 혼자서도 잘해요.
노자는 도를 깨우쳐 덕을 갖춘 사람의 모습을 45장에서 이렇게도 말하고 있어.
크게 이룬 것은 모자란 것 같지만 그 쓰임에 있어 끝이 없고
大成若缺
其用不弊

크게 찬 것은 빈 것 같지만
그 쓰임이 다하지 않는다.
크게 곧은 것은 굽은 것 같고,
크게 교묘한 것은 서투른 것 같으며,
크게 말을 잘하는 것은 더듬는 것 같다.
시끄러우면 추위를 이기고,
고요하면 더위를 이긴다.
大盈若沖 其用不窮
大直若屈 大巧若拙
大辯若訥 躁勝寒
靜勝熱
淸靜爲天下正
맑음은 천하의 정도(正道)가 된다.
이것은 노자 철학의 기본 정신을 잘 나타내 주는 글로
도를 존중하고 덕을 귀하게 여기는 것은 저절로 그렇게 되는 것임을 보여 주고 있어.
득
득
德
도를 체득한 사람의 그윽한 덕(현덕)을 설명하는 것을 들어볼까?
혼백을 하나로 모아 떨어져 나가지 않게 할 수 있는가?
載營魄抱一
能無離乎
道
기를 모아 부드러움을 이루어 능히 갓난아기와 같을 수 있는가?
專氣致柔
能嬰兒乎
마음의 때를 말끔히 씻어 내어 티끌 만한 흠도 없게 할 수 있는가?
콰아아
滌除玄覽
能無疵乎

명백하게 알아 막힘이 없지만, 모르는 듯할 수 있는가?
明白四達
能無爲乎
도와 덕은 무엇인가요?
알지만 모른다.
도는 낳지만 소유하지 않고
生之畜之
툭!
이루지만 자랑하지 않고
爲而不恃
기르지만 거느리지 않으니
長而不宰
쑥쑥 쑥쑥
是謂玄德
이를 그윽한 덕이라 한다.
지극한 덕은 갓난아기와 같다고 했지?
그럼 갓난아기는 무엇을 뜻할까?
왜 노자는 아무것도 모르고 혼자서는 아무것도 할 수 없는 연약한 갓난아기를 칭찬할까?
자장~ 자장~ 우리 아기.
55장을 보면 갓난아기가 갖추고 있는 덕을 잘 설명한 부분이 나와.
含德之厚
蜂蠆蛇不螫
猛獸不據
骨弱筋柔而握
未知牝牡之合
終日號而不嗄
知常日明
心使氣日强
物壯則老
謂之不道
깊은 덕을 품은 자는 갓난아기와 같고
道

아기는 벌이나 독충에도 물리지 않으며
맹수나 독수리도 잡아가지 않는다고 했어.
뼈는 약하고 몸은 연해도 주먹을 굳게 쥐며
남녀의 성생활을 몰라도 고추가 꼿꼿한 것은 정기가 충만한 증거고
하루 종일 울어도 목이 쉬지 않는 것은 조화로움이 지극하다는 뜻이라 했지.
마음이 억지로 기운을 부리면 강하다 하고
만물이 억지로 강하면 곧 늙으니 이것은 도가 아니라고 했지.
노자는 약한 것에서 참으로 강함을 꿰뚫어 본 사람이라고 할 수 있어.
갓난아기를 이렇게 관찰할 수 있다는 게 놀라운 일이지.
우리가 흔히 강하다는 것은 사실 약한 것이며, 이기는 것은 사실은 지는 것이지.
약한 물방울이 강한 바위를 뚫는 일을 종종 볼 수 있지?
똑
똑

어려서 약함이 나이 들면서 강해지는데
사실 이것은 죽음으로 가고 있는 거야.
나이 들수록 갓난아기의 천진무구함을 잃고 온갖 욕심으로 마음을 어지럽히지.
욕심
노자는 이것은 도가 아니라고 말해.
갓난아기의 자연스럽고 욕심 없는 천진함을 배우라는 거지.
역설의 대가 노자의 생각은 이렇게 일반적 사고를 흔들어 놓는단다.
흔들
사고
흔들
우리의 가치가 뒤바뀐 거라고 할 수 있어.
휙!
그래서 보통 사람들은 노자의 역설과 반어의 가르침을 들으면 반쯤 믿다가 의문을 품어.
도가 도면 도지, 도가 아니라니 뭔 말인지?
도가도 비상도
혹은 말도 안 되는 소리나 뜬구름 같은 허망한 소리로 치부하여 경멸하기 마련이야.
헉!
아니면 아니지 놀리는 거야?
사기꾼, 이제 그만 가면을 벗어!
도를 도라 하면 도가 아니라니깐.
왜들 이러는 거야?
신비주의야? 당신이 무슨 연예인이야?

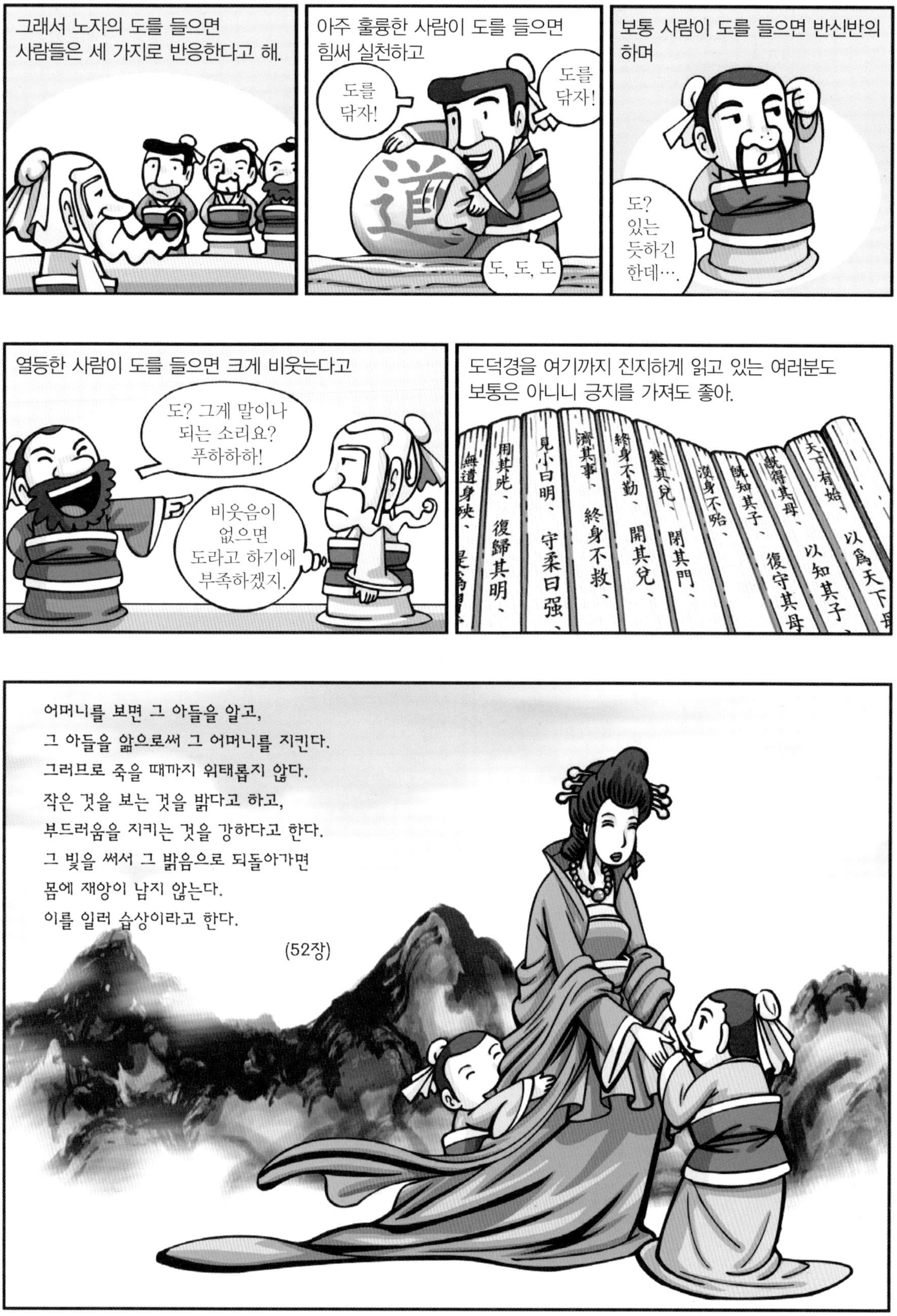
그래서 노자의 도를 들으면
사람들은 세 가지로 반응한다고 해.
아주 훌륭한 사람이 도를 들으면
힘써 실천하고
도를 닦자!
도를 닦자!
道
도, 도, 도
보통 사람이 도를 들으면 반신반의
하며
도? 있는 듯하긴 한데….
열등한 사람이 도를 들으면 크게 비웃는다고
도? 그게 말이나 되는 소리요? 푸하하하!
비웃음이 없으면 도라고 하기에 부족하겠지.
도덕경을 여기까지 진지하게 읽고 있는 여러분도
보통은 아니니 긍지를 가져도 좋아.
旣得其母、以知其子、
旣知其子、復守其母、
沒身不殆、
塞其兌、閉其門、
終身不勤、開其兌、
濟其事、終身不救、
見小曰明、守柔曰强、
用其光、復歸其明、
어머니를 보면 그 아들을 알고,
그 아들을 앎으로써 그 어머니를 지킨다.
그러므로 죽을 때까지 위태롭지 않다.
작은 것을 보는 것을 밝다고 하고,
부드러움을 지키는 것을 강하다고 한다.
그 빛을 써서 그 밝음으로 되돌아가면
몸에 재앙이 납지 않는다.
이를 일러 습상이라고 한다.
(52장)

도는 만물의 어머니이고, 만물은 도의 자식인 셈이라는 거야.
어머니를 보면 자식을 알 수 있듯이 만물의 근원인 도를 알면 현상계*를 알 수 있다는 것이고
역시 붕어빵이군.

*현상계(現象界) – 지각이나 감각으로 경험할 수 있는 세계.

현상계에 너무 집착하면 근원을 잊어버리고 위태롭게 된다는 뜻이지.
우리가 도를 알면 위태로움에서 벗어날 수 있고
道
도의 깊은 의미를 깨우치면 살아가면서 무한한 도움을 받을 수 있겠지.
35장에서도 도와 덕의 관계를 살펴볼 수 있어.

대도(大道)를 지키면 천하 사람이 모두 모여든다.
오고 가는 것이 서로 다투지 않기 때문에 피차 평안하게 지낼 수 있다.

음악과 음식은 길 가는 나그네의 걸음을 멈추게 하지만
꿀꺽
도는 담담하여 맛이 없고 보이지도 들리지도 않지만
설마 이 모습이 도는 아니겠지?
아무리 써도 끝이 없다.

인위적인 법이나 규정으로 다스리는 것과 달리
도
법
도는 사람으로 하여금 마음의 만족을 얻게 하지.
도
좋은 음악과 맛있는 음식은 사람을 즐겁게 만들지만
마음의 평화에 이르게 하지는 못하지.
덕의 모습은 이와 같은 도를 따른다 할 수 있지.
다들 나를 따르라!
유
덕
도
그럼 38장을 보며 제대로 된 덕을 논해 볼까?
높은 덕은 덕이라 생각하지 않으므로 덕이 있다.
德
낮은 덕은 덕을 잃지 않으려 하기 때문에
덕아, 날버리지마!
데굴데굴
덕
덕이 없다.
덕아….

도를 잃은 뒤에
해가 지네. 곧 어두워질 텐데 걱정이네!
덕이 강조되고
다행이 달빛이 환하군.
덕이 사라지면 인(仁)이
달빛도 없다면 별빛을 따라
인이 사라지면 의(義)가
별도 없다면 손전등을!!
의가 사라지면 예(禮)가 강조된다.
칭-
사회에서 예가 강조되면, 허위와 간사함이 나타나 어지럽게 된다.
흥!
폐하!
총명한 척하는 사람은 지식으로 술수를 취하니, 실로 어리석음의 근원이다.
그러므로 덕 있는 사람은 허위와 지식에 현혹되지 않고
의혹
유혹
가식

예의와 형식을 버리고, 도의 참된 진리를 따른다.
故去彼取此。
도에 합치된 사회는 인 · 의 · 예 · 지가 자연스럽게 행해지나
仁
義
禮
智
사회를 형식과 규범으로 유지하려고 하면
예로써 나라를 다스리니
예법에 따라 나를 섬겨라.
흥
흥
흥
흥
허위가 곳곳에서 일어나 상상하기도 어려운 혼란이 초래된다는 뜻이야.
예법을 지켜!
예법 좋아하네!
내 말은 듣지도 않네.
그러면 도를 체득한 덕스러운 사람의 모습은 어떠한지 《도덕경》 15장을 통해 노자의 말을 들어볼까?
예로부터 도를 잘 터득한 자는 미묘한 경지에 이르러 그 깊이를 헤아리기 어려워.

양쯔강의 깊이도
쉬 말하지 못하는데
어찌 도의 깊이를 쉽게
말할 수 있는가.

굳이 설명해 보라면
아직
멀었어?

머뭇거리는 모습은 겨울에 언 강을 건너듯하고
조심하는 모습은 사방을 살피는 것 같고
의젓한 모습은 초대받은 손님 같고
포근한 모습은 겨울 얼음이 녹는 듯하고
질박한 모습은 다듬지 않은 통나무 같고
고요한 모습은 텅 빈 골짜기 같고
더불어 있는 모습은 혼탁한 것 같고
머물지 않는 모습은 마치 바람과 같다.
누가 능히 혼탁함을 고요하게 안정시켜 서서히 맑아지게 할 수 있으며
누가 안정된 것을 서서히 움직여 살아나게 할 수 있는가?
도를 터득한 사람은 항상 채우려 들지 않는다.

머뭇거림, 조심스러움, 의젓함, 포근함, 꾸미지 않음,
고요함, 더불어 함께 함, 집착하지 않음

노자는 이러한 덕목들이 도를 따른 자의 모습이라고 해.

이를 위해서는 자신이나 사회의 혼탁을 억지로 없애려 하지 말고
너희들 그곳에서 살 만하니?
아니 죽겠어!
고요하게 놔두어 서서히 흙탕물이 가라앉듯이 하라는 거야.
이제 좀 살 만하네.
그렇다고 사회를 등지고 혼자 사는 것은 결코 아니지.
돌아와! 떠난다고 해결되지 않아.
오히려 삶 속에 뛰어들어 혼탁과 더불어 살기를 강조하고 있어.
그래, 부딪쳐 보는 거야.
휙
고요하여 편안함을 즐기되 서서히 활동하여 자연스럽게 사회를 살아나게 하라는 거야.
그렇게 요란하게 하란 소리는 아니야.
......
세상을 깊이 이해하여 자연의 도로 구하려는 노자의 태도에서 삶을 살아가는 바람직한 모습을 찾아볼 수 있어.

춘추 시대는 어떤 시대일까?

전국 곳곳에 100개가 넘는 크고 작은 나라들이 생겨나다

주나라는 은나라 말기에 중국 내륙과 황허강 상류에 있던 주족이 은나라를 멸망시키고 세운 나라입니다. 주나라는 수도를 호경(오늘날의 시안)에 정하고 세력을 펼쳤습니다. 하지만 세월이 지나면서 주나라의 힘이 점점 약해지자 제후들이 반란을 일으켜 전국 곳곳에 100개가 넘는 크고 작은 나라가 생겼습니다. 세력이 약해진 주나라는 동쪽으로 이동하여 낙읍(오늘날의 뤄양)으로 수도를 옮겼습니다.

중국 역사에서는 주나라의 수도가 호경이었을 때를 서주라고 하고, 낙읍이었을 때를 동주라 구분하며, 동주 시대부터를 춘추 시대라고 부른답니다.

공자 때문에 춘추라는 이름을 갖게 되다

춘추 시대라는 이름을 갖게 된 것은 공자 때문입니다. 공자는 기원전 722년~기원전 481년까지의 역사를 기록하여 '춘추(春秋)'라는 제목으로 책을 만들었는데, 공교롭게도 춘추 시대의 시기와 비슷하게 맞았습니다. 그래서 역사가들은 이 시기를 춘추 시대라고 부르게 되었습니다.

◀ 공자를 모시는 사당인 곡부대성전.

오랑캐를 무시하는 '춘추필법' 사관이 생기다

주나라가 비록 힘을 잃어 작은 나라가 되었지만 춘추 시대에는 주나라의 정통성을 아주 중요하게 여겼습니다. 춘추 시대 제후들이 세운 국가들은 존왕양이(尊王攘夷 : 왕을 섬기고 오랑캐를 무찌른다)에 따라 주나라 왕을 섬겼습니다. 그래서 각 제후국마다 힘을 겨루며 싸울 때도 자기가 주나라의 정통성을 가지고 있다고 주장하였고 주나라의 정통성을 갖지 못한 나라는 변방의 오랑캐가 되었습니다. 한족은 변방 민족을 오랑캐로 무시하는 '춘추필법' 이라는 사관을 가지게 되었고, 이러한 역사관 탓에 중국은 오늘날에 이르기까지 오랜 세월 동안 주변 나라의 역사를 왜곡하게 되었답니다.

강력한 중앙집권적 권력을 가진 전제 군주가 등장하다

한편, 춘추 시대에 들어와 농업이 발전함에 따라 지배자들에게 가장 큰 일은 물을 관리하는 일이었습니다. 그래서 거대한 치수 사업을 벌여야 했어요. 그런데 이러한 치수 사업을 하기 위해서는 사람을 동원할 수밖에 없었고 이를 통제할 만한 강한 지도력이 필요했습니다. 그래서 강력한 중앙집권적 권력을 가진 전제 군주가 생겼답니다. 많은 전쟁에서 이기고 강력한 군주제를 유지하기 위해서 춘추 시대의 제후들은 인재 등용에 많은 노력을 기울였습니다.

▲ 동으로 만든 춘추 시대 그릇.

제5장 모든 것을 상대적으로 본다

노자는, 겉모습만 보아서는 사물의 참모습을 본 게 아니고
음료수다!

겉과 속, 앞과 뒤 등 전체를 보아야 사물을 완전히 알 수 있듯이
뿅!
으악!

모든 것은 상대적이어서 드러난 것만으로 판단해서는 안 된다고 했어.
음료수 병이라고 꼭 음료가 들어 있다고 할 수는 없지.

사람들은 어떤 것에 특정한 의미를 부여하여 생각하기를 좋아해.
사랑의 맹세가 담긴 핑크빛 장미로 청혼을 해야지!
만남을 소중히 하기 위한 선물로는 시계가 좋지!

예를 들면 우주와 인간을 자세히 보니 도저히 이해가 되지 않은 부분이 많아서
사람의 몸은 정말로 신비해!

절대자의 섭리라고 편하게 믿어 버려.
인간을 만드신 창조주시여! 정말 대단하십니다.
이 사람 지금 뭐 하는 거야?
그리고 땅은 평평하고 하늘은 둥글다고 믿어 버린 나머지
땅이 둥글다고 하니까 이단이 되고 마귀가 되고 말았지.
저 이단자를 잡아라!
으악~ 코페르니쿠스 살려!
하느님의 이름으로 종교 재판을 열어
과학자들이 화형장의 재가 된 사건이 중세 때 많이 일어났어.
선악을 구분하여 천국과 지옥을 나눴는데
선악의 기준은 무엇일까?
선
악
노자는 거기에 의문을 던졌어.
그래서 노자를 이해하려면 바라보는 시각을 뒤집어보지 않고서는 힘들어.
이렇게 하란 말인가요?
통
통
으헉!!
시각을 뒤집으란 소리는 그런 것이 아니야!

천하가 다 아름다운 것을 아름다운 줄
알지만 추악한 것이며,
다 선한 것을 선한 줄 알지만
선하지 않다.
때문에 유와 무가 서로를 낳고,
어렵고 쉬운 것이 서로를 이루고,
길고 짧은 것이 서로를 나타내고,
높고 낮은 것이 서로를 채워주고 기대고,
음과 소리가 서로 조화하고,
앞과 뒤는 서로 따른다.
(2장)
노자가 살던 중국의 상황은 170개 나라들이
20여 개의 나라로 줄어들었다고 했었지? 그것은 무엇을 의미할까?
그렇지, 서로 전쟁을 일으켜 하나씩 집어삼켰다는 이야기야.
없어진 나라마다 왕이 있었으나 전쟁에 패하면 노예를 면하기 어렵지.
그들이 찬미하며 수호하던 가치는 땅에 떨어지고 말아.
쨍
땅에 밟히는 꽃잎처럼 보기 추한 것도 없잖아?
승리는 아름답고, 패배는 추악하다지만
승리 또한 언젠가 패배로 마치니 아름다움은 곧 추함이라는 거야.
으악!

예를 들어 볼까? 사람들은 흔히 모두가 아름답다고 하면 아름답다고 생각해.
미스 코리아 진, 선, 미!!
요즈음엔 날씬한 미인의 기준이 되어 다이어트가 열풍이지.
부럽다!
그것도 모자라 지방흡입술과 성형수술을 받기도 해.
성형외과
빼빼 말랐는데도 자신은 아직 뚱뚱하다고 생각해.
아직도 뚱뚱해. 좀 더 빼야겠어.
그래서 먹으면 기를 쓰고 토해 내곤 하지.
우웩
우웩
아름다워지려다가 더 추하게 되거나
헉!
날씬하려다가 저체중으로 죽음에 이르기도 해.
힝-
아름다움의 절대적인 기준은 무엇일까?
과거의 미인은 통통했다는데 현대의 미인은 말라깽이야. 아름다움의 기준은 변해.
어떤 나라에서는 피부색이 검은 사람이 미인이고 어떤 나라에서는 흰 사람이 미인이야.
어떻게 보고 어떻게 받아들이느냐에 따라 달라질 수 있다는 것이겠지.

그럼 '모두가 선하다고 하면 선한 것으로 여긴다.'는 노자의 말은 어떻게 이해해야 할까?
……
이 말도 전쟁으로 해가 뜨고 달이 지던 춘추 · 전국 시대로 돌아가 보아야 설명이 되겠네.
당시 정치가들은 상벌 규정을 정해 놓고 백성들을 교묘하게 부려먹었어.
적장의 목을 베어 오면 이 상을 내리겠다.
알겠습니다, 폐하.
충과 효를 이용하여 그들의 규범을 잘 따르는 것을 착하다 하며 부려먹었지.
살인을 합법화하니 원한을 불러 일으키고 보복이 꼬리를 물었어.
이날만을 기다렸다,
아버지의 원수.
좋다. 와라!
복수라는 이유로 죄없는 생명들도 함께 사라졌지.
장평대전에서 조나라의 군사들이 생매장된 것이 그 좋은 예야.
진나라는 승리하여 잘된 것(선)이지만
와아아
조나라로서는 잘못된 것(악)으로 억울하고 비통한 거지.
악이라는 개념도 마찬가지야.

나라에 충성하는 것이 그 나라에는 선이지만
적병의 목을 모두 베어 오겠습니다.
다른 나라에겐 악이 되니 말이야.
이 모순을 어찌 해결할 것인가?
보석 가운데 가장 아름답고 비싼 게 무엇일까?
그래, 맞아. 다이아몬드야.
그런데 다이아몬드가 아름다운 게 아니라 슬프다고 하면 믿을 수 있겠어?
다이아몬드가 왜 슬프다는 거야?
슬픈 정도를 넘어 추악하다면 더더욱 이해가 안 되겠지?
블러드다이아몬드란 말 들어본 적이 있니?
다이아몬드는 광산이 있는 아프리카에서 채취되어
벨기에나 런던 등에서 반지나 목걸이 등 아름다운 보석으로 세공되어 전 세계로 판매되는데
그 과정을 보면 너무 슬프고 추악해.
식량이 부족하여 어린이들이 굶어 죽어 가고 있는 아프리카 곳곳에서는
정부군과 반군이 대립하고 있지.

정부 관료들은 부정부패로 물들어 있고
흐흐흐.
반군은 이에 대항하여 국민들을 위해 투쟁한다는 대의명분을 가지고 있지.
반군
정부군이나 반군은 국민들을
보호한다는 명분을 내세우지만
반군
반군은 다 쓸어 버려야 해!
무슨 소리! 정부를 갈아 치워야 해.
실제로는 국민을 등에 업고
자신들의 이익을 챙기는 거야.
국민
이제 그만 좀 해. 힘들어.
다이아몬드를 차지하려고 눈에 핏발을
세우고 으르렁거리는 가운데
반군
포기해!
뭔 소리 네가 포기해.
애꿎은 가족들이 생이별하고 부모와 자식이 총칼을 겨누는 비극이
일어나고 있어.
좋다! 우리의 힘을 보여 주마.
흥! 무슨 소리 각오해라!
정부
반군
!
유럽 강국들이 한때 아프리카인들을 지배하며
노예처럼 부리던 방식을 정부 관료들이 그대로
따라하고 있는 거지.
아름다운 보석
다이아몬드에는 이런 슬픔이
있어.
아름답지만 아름답다 할 수 없겠네.
그래서 다이아몬드를 인간의
욕망이 추악하게 드러나는
대표적인 거라 하는 거야.

유와 무는 상대적이며, 어려운 것과 쉬운 것도 상대적인 거야.
1+2=
난 덧셈이 어려워!
난 덧셈이 쉬워!
수학 I
길고 짧은 것도 상대적이고, 높고 낮음도 상대적이야.
무서워~ 정말 높다!
악기의 소리와 음정은 서로 조화를 이루어 생기고
앞뒤는 서로 마주함으로써 생겨난 개념이요, 순서일 뿐이지.
내 뒤에 두 사람이 있어요.
무슨 소리! 내 앞으로 두 사람이지.
그래서 성인은 무위(無爲)의 태도로 세상 일을 처리하라고 해.
성인에게 있어 지나침이 있어선 안 될 것이다.
아름다움과 추함, 길고 짧음, 높고 낮음, 앞과 뒤, 있음과 없음
이러한 것들은 모두 대조되는 양극과 같은 것인데
N
노자는 차이가 없다고 했어.
S
이들의 차이는 모두 상대적이라는 말이지.
앞
뒤
겉과 속은 뒤집으면 바뀔 수 있듯이
슈퍼히어로가 되고 싶다면 팬티를 바지 위에 입으세요.
눈에 드러나는 차이는 본질적으로 다르지 않다는 뜻이지.
그럼 바지가 속옷이 되겠구나!

그래도 이해가 잘 안 된다고?
상대적이라는 것은 두 개념이 따로 떨어져 있는 게 아니고
한 몸의 양 끝과 같은 거야.
흔히 양 끝은 만날 수 없는 걸로
생각하지만
지구처럼 둥글면 어떨까?
동쪽의 반대는 서쪽이어서
만나지 못할 양 끝으로 여기지만
W
N
S
E
계속 걸어 지구를 한 바퀴 돈다고
생각해 봐.
헉
헉
헉
계속 동쪽을 향해 가다 보면
지나온 길이 서쪽이
된다는 걸 알 수 있어.
서
동
서
동
그리고 끝까지 간다면 그 끝이 바로
처음 시작한 곳이란 것도 알게 될 거야.
그래서 절대적인 동쪽도 절대적인 서쪽도
없다는 것이 상대적이라는 말이 갖고
있는 의미야.
동쪽
서쪽
이렇게 노자는 모든 것은 상대적이라고 말했어.

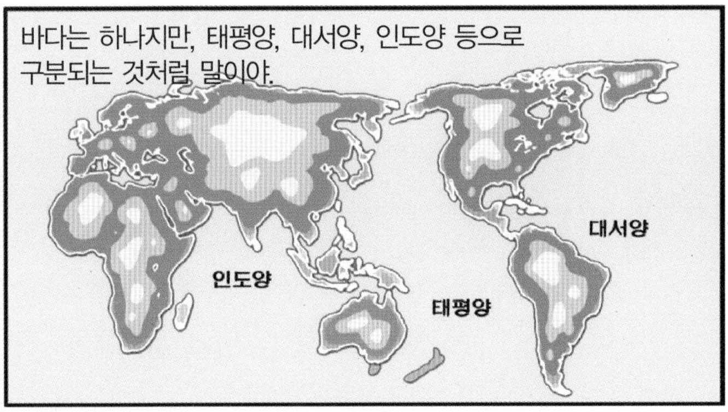
바다는 하나지만, 태평양, 대서양, 인도양 등으로
구분되는 것처럼 말이야.
대서양
인도양
태평양

노자는 또 사람들이 사물을 있는 그대로
보지 못한다고 말하고 있어.

상대적인 잣대를 들이대고 분별한다는 뜻이지.
쯧쯧
나보다
정말
크다.

어떤 사물을 보고 아름답다고 분별할 때는 그보다
아름답지 못한 기억이 있기 마련이야.
내 여자친구가
이런 얼굴이
아니어서
정말 다행이야!

그래서 둘을 비교하여 아름답다거나
못생겼다고 판단하는 거지.

지금
이 상자가 클까,
작을까?
비교 대상이
없다면 알 수
없겠지?
그래서 그냥 사물을 있는 그대로 볼 수 없다는
데 상대적인 한계가 있다는 거야.

노자는 이러한 고정관념을 없애고 자연으로 돌아가라고 이야기하고 있어.
無爲自然

좀 더 쉽게 설명해 달라고?
좋아! 예를 들어 줄게.
태양을 중심으로 지구가 돌고 있다고 하는 지동설을 들어 봤을 거야.
중세 시대에 사람들은 별들이 움직이니 하늘이 움직이고
지구는 네모나고 편평하다고 생각했는데
지동설을 발견한 과학자들은 지구가 움직이고 둥글다고 주장했어.
하지만 이런 생각을 하는 과학자들은 마귀에 씌였거나
지구는 돈다니까.
미쳤다고 생각해 종교 재판에 회부되곤 했어.
미친 사람이다!
으아아
대표적인 사람으로 갈릴레이를 들 수 있는데
그는 반성하고 회개하면 용서해 준다는 종교 지도자들의 말에 그러겠노라 해놓고
지구가 돈다는 것이 거짓임을 인정하겠소?
네, 지구는 절대 돌지 않습니다.
뒤돌아 나오며 말을 바꾼 것으로 유명하지.
그래도 지구는 돈다!

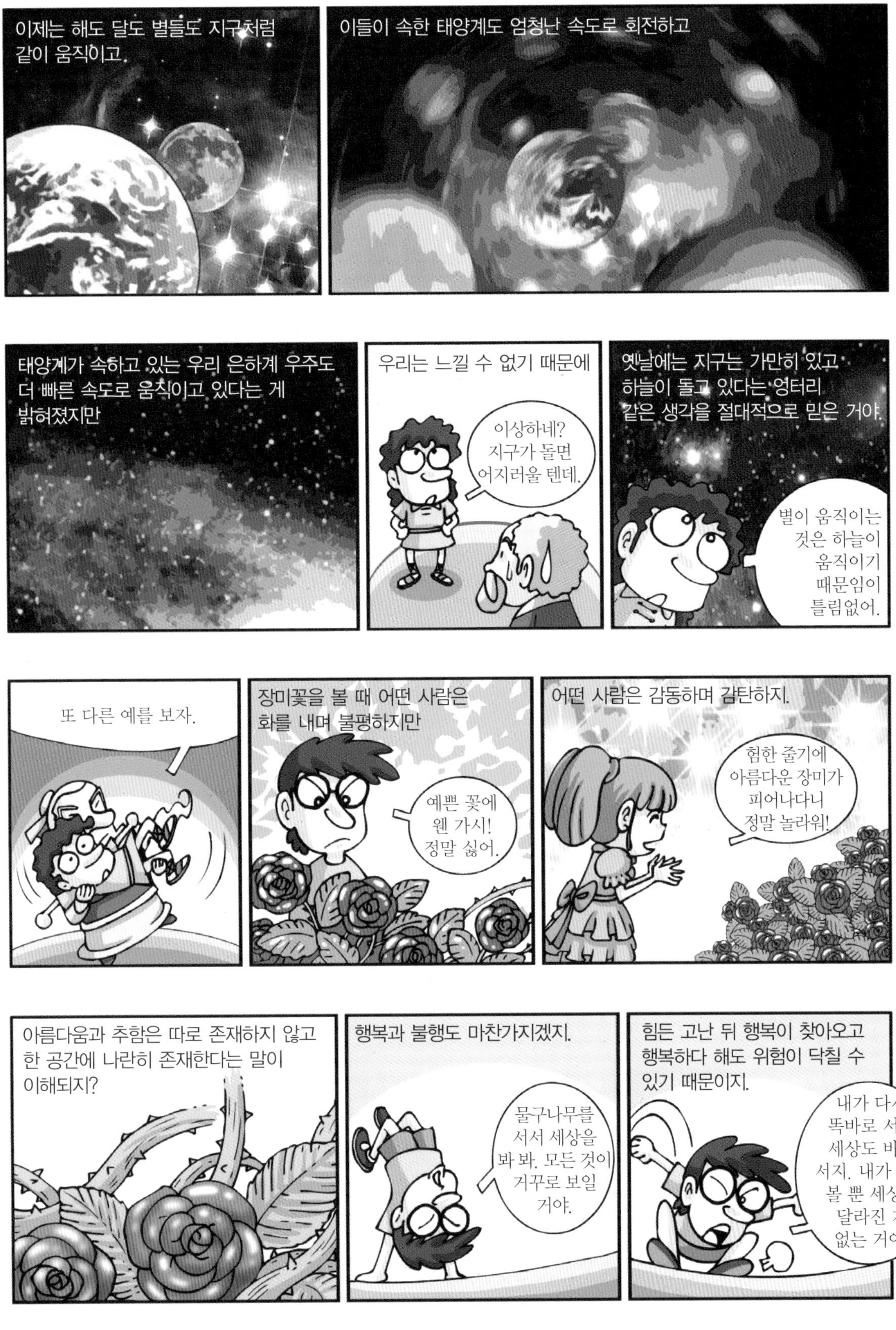

이제는 해도 달도 별들도 지구처럼 같이 움직이고,
이들이 속한 태양계도 엄청난 속도로 회전하고
태양계가 속하고 있는 우리 은하계 우주도 더 빠른 속도로 움직이고 있다는 게 밝혀졌지만
우리는 느낄 수 없기 때문에
이상하네? 지구가 돌면 어지러울 텐데.
옛날에는 지구는 가만히 있고 하늘이 돌고 있다는 엉터리 같은 생각을 절대적으로 믿은 거야.
별이 움직이는 것은 하늘이 움직이기 때문임이 틀림없어.
또 다른 예를 보자.
장미꽃을 볼 때 어떤 사람은 화를 내며 불평하지만
예쁜 꽃에 웬 가시! 정말 싫어.
어떤 사람은 감동하며 감탄하지.
험한 줄기에 아름다운 장미가 피어나다니 정말 놀라워!
아름다움과 추함은 따로 존재하지 않고 한 공간에 나란히 존재한다는 말이 이해되지?
행복과 불행도 마찬가지겠지.
물구나무를 서서 세상을 봐 봐. 모든 것이 거꾸로 보일 거야.
힘든 고난 뒤 행복이 찾아오고 행복하다 해도 위험이 닥칠 수 있기 때문이지.
내가 다시 똑바로 서면 세상도 바로 서지. 내가 달리 볼 뿐 세상은 달라진 게 없는 거야.

우리 주위에는 명석하고 지적인 사람들이 많지.
그들은 돈도 많이 벌고 남들의 부러움을 사고 있어.
얼마면 돼? 얼마면!
와-
그런데 그들은 성공에도 불구하고 모두 행복하지 않아. 왜 그럴까?
돈만 있으면 뭘 하겠어.
아마 더 잘된 사람과 비교하여 만족할 줄 모르기 때문일 거야.
나도 저 사람처럼 잘생겼다면 얼마나 좋을까.
오빠!
오빠!
능력과 재산, 지위는 마음의 평화와는 상관없어.
실제로 미국이나 서구 선진국이 가장 행복 지수가 높을 것 같지만
조사에 의하면 그렇지 않아.
의외로 세계적으로 가장 가난한 나라인 방글라데시나 네팔 사람들이 가장 행복하다고 느낀대.
마음의 행복과 평화는 상대적이란 걸 알 수 있겠지?
일시적인 행복감은 곧 외로움과 짜증으로 변하곤 해.
영원히 지속되는 행복이나 불행은 없어.

노자는, 우리는 밝음과 어둠도 둘로 보지만 둘로 나눌 수 없다고 말해.
낮이 지나면 밤이 오고, 밤이 깊으면 새벽이 오듯이
늘 맑은 날일 수 없고, 늘 비바람 몰아치는 날일 수도 없듯이
어둠이란 빛이 없는 게 아니라 빛을 등진 것이라는 거야.
예를 들어, 서로 다른 여름과 겨울도 햇빛을 받는 시간과 각도에 따라 달라지고
지구는 자전하며 빛을 등지는데 그때 밤이 찾아오는 거야.
북반구의 여름은 남반구의 겨울이고, 한국의 밤은 유럽의 낮이야.
크리스마스 맞아?
노자는 고통 속에서 희망을, 성공에서 좌절을 보라고 했지.
어머니가 아기를 잉태하여 출산할 때의 고통은 피할 수 없어.
그러나 고통은 고통으로 그치지 않아.
극심한 산고 끝에 아기를 보는 어머니는 이루 말할 수 없는 기쁨과 행복감에 젖지.
현실이 아무리 힘들어도 꼭 거쳐야 될 성장통으로 알고 견뎌 내야 하는 거야.
작은 어려움도 견디지 못하고 포기하면 큰 기쁨을 맛볼 수 없지.
정신적으로 고통을 이겨 낸 만큼 성숙한 인격을 얻게 되니까.
야호

세상의 모든 사물과 현상은 고정된 모습으로 보이지만
잘 들여다보면 매순간 변하고 있어.
하늘도 땅도 물도 우리들이 보는 시각에 따라 변해.
긍정적인 눈으로 바라보면 아름다운 꽃동네로 보이고
부정적인 눈으로 바라보면 불결하고 추한 동네로 보이지.
아름다운 것은 사실 추한 것이며, 선한 것은 사실 악한 것일 수도 있어.
이 꽃을 받아 줘.
이런 말라 비틀어진 꽃을 받으란 말야?
세상은 우리가 어떤 마음의 눈으로 보느냐에 달려 있어.
그러므로 지저분한 안경을 닦듯이 얼룩진 마음을 닦아야 해.
노자는 모든 개념과 가치는 사람이 정한 것이며, 가치 판단은 모두 비교함으로써 생긴다고 했어.
우와~ 크다.
우와~ 높다.
상대적 관계는 항상 변하므로 가치 판단도 쉴 새 없이 변하는 거야.
나보다도 작은데 뭐가 크다고 그래.
비교하지 말고 담담히 바라봐. 자신을 괴롭히지 말고.

《도덕경》에는 성인의 이야기가 많이 나오는데, 훌륭한 인간이라기보다 도를 깨우친 사람이야.
성인은 상대적 가치에 사로잡히지 않은 자유로운 사람을 말해.
당신도 나도 사람이니 크다 할 수 있소.
말도 안 돼!
만물을 성장하고 변화하는 흐름에 맡기고 일부러 손대어 고치려 하지 않아.
죽어가는 고목에서 새싹이 돋는구나!
만물을 성장시키고도 소유하지 않는 도를 얻어 모든 것을 성취하고도 머무르지 않는 것이지.
사람들이 모두 이들과 같다면 참 평화롭겠지?
죽은 것을 죽었다 할 수 없고, 산 것 또한 영원치 않으니, 이가 바로 자연이구나!
노자는 도가 사라졌기에 인위적인 가르침들이 생겨났다고 말해.
흐흐흐~ 도가 사라졌단 말이지?
유교의 인의예지 같은 덕목들 말야.
군자라면 인의예지를 알아야 합니다.
노자는 18장에서 집안에 효가 없을 때 효를 강조하고, 나라에 충이 없을 때 충을 강조한다고 말했어.
용돈 떨어졌어.
질겅 질겅
타타
인의를 중시하는 것도 인의가 없기 때문이야.
여기서 구걸하려면 자릿세를 내!
매우 깨끗함을 강조하는 사람의 마음속에는 불결함이 있고,
이 동네 왜 이리 지저분해!
여성적인 사람은 마음속에 남성적인 부분이 강하게 자리 잡고 있어.
균형을 무시하고 한 면만을 본다면 편견이 되는 거야.
동전도 한 면만 있는 건 없어.

편견 때문에 상대를 악의 축으로 구분하고, 적과 나를 구분하여 적은 무조건 잘못되었다고 비난하기 일쑤야.
이봐! 등 뒤에 미사일 좀 치워!
자신을 보지 못하면 남의 잘못과 부족함만 눈에 띄게 마련이지.
위험하게 미사일을 가지고 놀다니.
그럼 네 미사일은 뭐야?
네 탓만 있고 내 책임은 없지.
내 미사일은 다 너 같은 녀석들 때문에 꼭 필요해.
상대적 옳음이나 아름다움은 모두 분별심의 소산이야.
성격 파탄자!
악당!
뚱뗑이!
고집 쟁이!
악마!
이러한 분별심을 버리는 것이 노자가 말한 무위이고 자연이야.
그만 좀 해!
이로써 성인은 함이 없는 일(무위)에 머물고
말없는 가르침을 실천한다.
성인은 만물이 일어나도 물리치지 않고,
낳아도 소유하지 않고,
베풀어도 보답을 기대하지 않고,
공(功)을 이루어도 높은 자리에 머물지 않는다.
오직 머물지 않기 때문에 그의 업적도
떠나지 않는다.
노자는 무위를 실천하는 사람은 이러한 가치관을 가졌다고 했어.

그의 행동은 매우 자연스럽고
소탈하고 편하며
어떤 가치관에 매여 있는 게 아니어서 어떤 신념도 버릴 줄 아는 사람이야.
가치관
대상을 지각할 때 좋아함과 싫어함을 버리고 있는 그대로
볼 수 있는 사람
좋아함
싫어함
어떤 차별도 없으니 절대 평등하고
절대 자유인이지.
평등
자신의 공을 내세우거나 자랑하지 않아서
명예욕으로부터 벗어난 사람
명예
부
권력
상
부를 낳되 혼자서 가지려 하지 않는 절대 부자
정신적인 명예건 물질적인 부이건, 어느 것에도 얽매이지 않으니
무소유인이라고 할 수 있지. 정말 멋있는 사람이지?

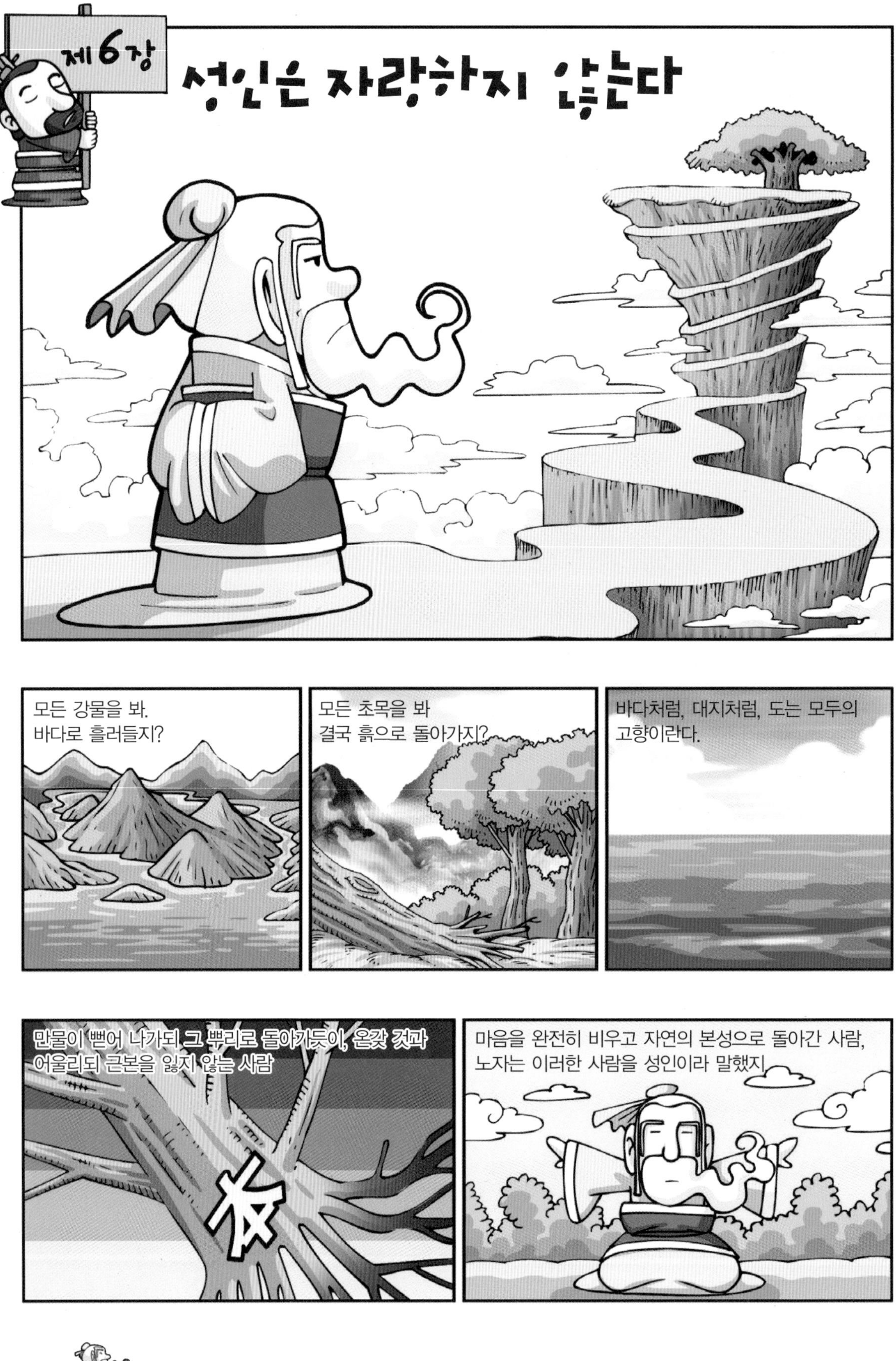
제6장
성인은 자랑하지 않는다
모든 강물을 봐.
바다로 흘러들지?
모든 초목을 봐
결국 흙으로 돌아가지?
바다처럼, 대지처럼, 도는 모두의
고향이란다.
만물이 뻗어 나가되 그 뿌리로 돌아가듯이, 온갖 것과
어울리되 근본을 잃지 않는 사람
本
마음을 완전히 비우고 자연의 본성으로 돌아간 사람,
노자는 이러한 사람을 성인이라 말했지.

성인은 만물이 근원으로 돌아가듯이
마음을 비우고
난 성인,
넌 아이.
성인은
그 뜻이
아닌데….
참된 고요를 지켜 영원한 도로
돌아가야 한다고 말했지.
조 용
그러므로 자기의 본성으로
돌아가는 것이 바로 성인의
길이야.
성인의 길
마음 비우기를
지극히 하고
고요함을 잘 지키면,
만물이 일어나고
근본으로 돌아가는 것을
볼 수 있다.
모든 만물은 무성했다가
다시 그 뿌리로
돌아가니,
그것을
고요함이라고 하고
천명으로
돌아간다고 한다.
(16장)
마음이 무엇이라고 생각해?
?
마음
마음을 흔히 창고나 집으로 비유하곤 하지.
마음속에 들어 있는 내용들이
무엇일까?
그렇지. 생각, 기억, 감정, 온갖 욕망이
마음속을 차지하고 있지.
윽!
생각
기억
감정
평소 우리 마음을 들여다보면 이러한
내용물들이 어지럽게 날뛰고 있지.
미움
욕심
공포
질투
사랑
애정

어떤 이는 마음을 하늘에 비유해.
온갖 구름이 일어나 하늘을 덮으면 본래 고요하고 비어 있는 푸른 하늘을 보기가 어렵겠지?
어떤 이는 마음을 연못에 비유하기도 하지.
또 어떤 이들은 마음을 거울에 비유하기도 해.
거울아, 거울아! 세상에서 제일 예쁜 사람은 누구지?
깨끗한 거울은 사물을 맑게 비춰 주지만
그래 역시 나일 줄 알았어.
먼지와 때가 끼면 사람의 모습이 어떻게 보일까?
왜 대답이 없지?
좀 닦아 주고 물어 봐.
마음을 바다에 비유할 수도 있어.
바다에 바람이 불면 파도가 커지지? 때론 엄청난 파도가 산더미처럼 몰려왔다가
쏴아아
몰려가면 바닷가 조그만 집들은 흔적도 없이 쓸려가 버려.
쾅
파도가 일면 바다 본래의 잔잔함은 잃어 버리게 되지.
마음도 바다와 같아서 풍랑이 일면 분노, 화가 일어나는 거야.

화가 머리 끝까지 치민다는 표현이 있지?
분노에 사로잡힌 사람은 살기가 등등하여 미쳐 버린 것 같아.
욕망에 사로잡혀도 마음은 심하게 흔들리는 배처럼 안정을 잃어버려.
의심, 짜증, 불안 등에 가려져도 사물을 바르게 관찰하지 못하고 평정을 잃게 돼.
왜 저래?
의심
교만
짜증
우울
불안
노자는 사람의 마음은 본래 비어 고요한 것이어야 한다고 주장했지.
따라서 우리는 마음을 닦고 비워 잔잔한 상태로 회복시켜야 하는 거야.
마음
그래야만 만물이 생겨나고 순환되는 이치를 깨달을 수 있어.
노자는 영원한 도를 아는 것을 밝음(明)이라 하여
道
지혜로워지고 영원한 도를 알면 관용할 수 있고, 관용하면 공명정대*할 수 있고, 공명정대하면 온전할 수 있다고 말해.

*공명정대(公明正大) – 하는 일이나 태도가 사사로움이나 그릇됨이 없이 아주 정당하고 떳떳함.

온전하면 하늘에 부합하고
하늘에 부합하면 도에 부합하고, 도에 부합하면 영원하여 위태롭지 않다면서
道
영원한 도를 알지 못하면 태풍이나 해일 같은 재앙을 만난다고 경고해.

도에 부합되어야만 죽을 때까지 위태롭지 않다는 것이지.
무섭다!
그러면 노자가 말하는 도에 부합되는 삶이란 무엇일까?
만물의 생성과 소멸, 곧 우리의 탄생과 죽음을 열린 빈 마음으로 볼 수 있는 삶을 말해.
그러면 우리는 지극히 고요하고 흔들리지 않는 마음을 회복할 수 있거든.
흔들
흔들
노자는 4장에서
도는 속이 비어 있는 그릇과 같아 써도 차고 넘치는 법이 없다.
'도는 깊은 연못과 같아서 모든 것의 근원이 되고
道
도의 본체는 허공처럼 비어 있지만, 그 작용은 다함 없이 무궁무진하다'고 했지.
마음을 지극하게 비운 사람은 무궁무진한 창조력을 발휘하여 날카로운 것을 무디게 하고
얽힌 것을 풀어 줄 수 있다는 뜻이야.
이제부터 마음의 먼지와 때를 벗기고 마음을 지극하게 비우고 고요하게 하여
도와 부합되는 삶을 구체적으로 살펴보도록 하자.

《도덕경》에 나오는 구절 중 56장에 화광동진이란 말이 있어.
和其光
同其塵
화기광 동기진을 줄인말로 화광이란 빛의 강함을 부드럽게 만든다는 말이고
동진은 티끌과 하나가 된다는 말이야.
!
그럼 화광동진의 속뜻은 무엇일까?
해를 쳐다본 적이 있지?
너무 강렬한 빛은 눈을 다치게 할 수도 있어.
화광이란 재능을 뽐내지 말란 뜻을 담고 있지.
동진은 세상의 보통 사람들과 맞추어 교만하지 말라는 뜻을 담고 있어.
그럼, 나도 티끌처럼 작아져야 하나?
똑똑함을 드러내지 않고 평범함과 함께한다는 것은 실천하기 어려운 일이겠지?
내가 감춘 게 뭘까요?
무한한 잠재력을 가졌으되 드러나지 않는 도처럼 성인도 그래야 한다는 거야.
짠~
뽐내는 순간 도는 도가 아니야.
道
자신을 자랑하면 주위의 비난과 시샘을 받게 될 경우가 많지?
어때? 내 몸매!
잘난 척은!
그래, 네 팔뚝 굵다!
사람들은 능력이 있어도 드러내지 않는 사람을 오히려 두려워하고 인정해.
《도덕경》의 주석서를 쓰고 있는 건가?
겉보기와 달리 실력자였어!

사람을 볼 때도 겉으로 드러난 모습만 보면 속기 쉽지.
눈으로 멋있게 보이고 그럴 듯한 언변으로 사람을 보는 것이 아니라, 상대방의 마음을 보고 사람 됨됨이를 보아야 하듯이,
아저씨의 날카로운 이빨이 너무 멋있어요!
흐흐흐 고맙구나.
감각기관을 통하여 들어오는 외부의 날카로운 자극을 부드럽게 여과시켜서
그런데 침은 왜 흘려요?
감각적인 판단을 이성적인 판단으로 바꿀 수 있어야 하는 거야.
역시 늑대는 늑대야. 믿은 내가 바보지.
좀 더 쉬운 예를 들어 줄게.
실력이 있는 사람은 자신이 있으므로 겉모양에 그리 집착하지 않아.
개방방주 개방파!!
실력이 없는 사람은 자신감이 없으니 겉으로나마 잘 보이려고 애를 쓰지.
무슨 파냐?
무, 무림 제일지존, 지존파다.
눈을 어지럽히는 현란한 빛깔과 향기로 사람의 됨됨이를 알 수 없지.
와! 예쁘다.
학력과 미모로도 그 사람의 성격을 알 수 없어.
으악!
평생 같이 살 배우자를 정할 때 재산이나 학벌, 용모 등을 우선시하는 사람은 반드시 후회해.
얼굴은 예쁜데 성격은 완전 꽝이야.

가까운 예로 미모의 탤런트와 재벌 2세가 결혼해서 파경에 이르거나
재벌2세H씨 결혼 파경
도덕일보
인기 연예인들이 신혼 초부터 폭력 문제로 갈라서는 경우를 자주 보곤 하지.
결혼 생활에서 가장 중요한 것은 배우자의 성격이라는 연구 보고가 있어.
특히 결혼 생활을 오래한 중년부부들은 이구동성으로 성격을 꼽았지.
중요한 건 성격!
사람됨이 얼마나 중요한지 알 수 있겠지?
아무리 아름다운 화장품과 향수로 몸을 치장해도
그 사람의 됨됨이가 아름답고 향기로운 것은 아니야.
이 누나가 성격이 좀 급하거든.
뭔 말인지 알지?
화장을 하지 않고 성형수술로 얼굴을 고치지 않아도 인격의 향기는 자연스럽게 뿜어져 나와 사람들을 감동시키지.
성녀다!!
보통 사람들은 언제나 사물의 겉모습만 좇으며
빨간 스포츠카!! 틀림없이 미녀가…
온전함과 넘치기를 바라기 때문에 수많은 다툼이 시작되는 거야. 또 자신을 드러내기에 급급한 나머지 많은 다툼이 생기기도 해.
!
내 앞의 똥차 좀 치우지?
뭐? 똥차?

노자는 자랑하려고 억지로 노력하거나 지나친 욕심을 부리는 것을 24장에서 다음과 같이 비유하고 있어.
발 끝으로 서는 사람은 오래 설 수 없고
가랑이를 벌리고 있는 사람은 걸을 수 없다.
제 생각대로 보는 사람은 사물에 밝을 수 없고
제 생각대로 옳다고 하는 사람은 옳고 그름이 드러나지 않는다.
자신을 과시하려 하면 주위의 반발을 사게 돼.
천재에게 그까짓것 쯤이야 아무것도 아니지!
도는 있는 듯 없는 듯 하면서도 그 안에 엄청난 잠재력이 있어.
빡!
잘난척 하는 건 도가 아니야!
아욱!
도를 깨우친 사람은 인위적이거나 약삭빠르지 않아.
늘 자기 이야기만 하고 남의 이야기는 들으려 하지 않으면?
내가 말이지….
그래. 그런 사람은 따돌림받거나 멸시받겠지.
어디 가? 아직 할 말 남았는데.
회오리바람은 한나절 이상 불지 않고, 소나기도 하루 종일 내리지 않아.
하늘도 부자연스러운 것을 오래 지속할 수 없는데, 하물며 인간이 자연스럽지 못한 행동을 오래 하는 것은 어떨까?
자신의 주장과 공만 내세우다 보면 오히려 비난을 받게 되지.
도가도 비상도
도가 도면 비도 도다.
재능은 갖추되 내세우지 않는 것이 도와 가깝지.
가만히 있음 중간이나 가지.
뜻도 모르면서 잘난 척은.

《논어》에서 공자는 자로에게 '아는 것을 안다 하고, 모르는 것을 모른다고 하는 것이 진정한 앎이다.' 라고 했어.
모르면서 아는 척 말란 말야.
매우 훌륭한 말이지.
논어
여기서 앎이란 이성적 지식을 말하는 거야.
그런데 노자는 여기서 한걸음 더 나아가
알면서도 모른 척하라.
알지 못하면서도 아는 척하는 게 사람들의 일반적 병폐야.
북한 애들은 탱크를 타고 다닌데!
정말?
그런데 대부분 그러한 자신의 병을 모르고 있어.
뭐 하는 거야. 난 아픈 곳이 없다고!
가만 계세요!
그렇지만 성인은 스스로 자신의 부족함과 알지 못함을 깨닫고 있는 것이지.
노자의 앎은 그 앎마저 현명하지 못하다 하여 모른 척하라고까지 했지.
그렇다고 모르는 것과는 다르지. 공부하지 말라는 뜻도 아니야.
열공
알되 드러내지 않는다는 뜻이지.
전 불치병 인가요?
아는 척 하는 게 병이라 한 것은 분명히 자각하라는 뜻이야.
그러면 지혜롭고 올바르게 살기 위해서는 무엇이 필요할까?
지식을 더 넓혀야 할까?

노자는 22장에서 다음과 같이 말했어.
구부리면 온전하고
휘어지면 곧아지며
우묵하면 채워진다.
낡으면 새로워지고,
적으면 얻고, 많으면 어지러워진다.
이런 까닭에 성인은 하나(도)를 알고
천하의 모범이 되니,
스스로를 드러내지 않은 까닭에 밝고
스스로 옳다 하지 않으므로 빛난다.
오직 다투지 않을 뿐이라 천하 사람이
그와 다툴 수 없다.
구부러지고 휘어짐은 모든 사물의 자연스런 모습이야.
나처럼 말이지!
산맥이 뻗어 나가는 모습을 보면 알 수 있지.
강도 직선으로 내달리는 것 같지만 휘휘 감아 굽이굽이 흘러가고
활도 휘어야 쏠 수 있어.
이것을 사람에 적용하면 무슨 뜻이 될까?
그, 그런 것이 아냐.
휘어지고 구부러짐은 곧 부드럽고 겸손함을 말하는 거야.
스스로를 옳다 주장하면 다툼이 일어나니
운전 똑바로 해!
뭐야? 적반하장도 유분수지.
겸손하여 스스로를 낮추면 다툼이 없어져.
죄송합니다.
아닙니다. 제가…

연약한 가지는 부러지지 않는데,
강한 가지는 부러지는 것처럼
빡!
부드러움이 강함을 이긴다는
말과도 연결되지.
물은 땅이 우묵한 곳에 차듯이
욕심이 적으면 오히려 만족을
얻을 수 있어.
노자의 반어법은 부정이 아니라
긍정을 위함이란 걸 알 수 있지?
긍정
부정
부정
따당
부정
아는 것이 많으면 마음이
어지럽다는 뜻이야.
지식
48장에, '학문을 하는 것은 날로
보태는 것이고 도를 행하는 것은
날로 덜어 내는 것이다' 라는
말이 있어.
爲學日
爲道日
즉, 덜어 내고 또 덜어 내어 더 이상 덜어 낼
것이 없는 경지에 도달하는 것
이것이야말로 진정한 학문이라는 것이지.
분별심과 욕심 등 마음의 장애를 덜어 내고 덜어 내면 마침내 본래부터 있는 성품을 회복할 수 있는 거야.
本然之性

지혜로운 자는 말이 없다고 했지?
말없이 가르치는 불언지교는 형식적인 규범으로 다스리는 것이 아니라
不言之敎
은연중에 이끄는 것을 뜻해.
말은 믿음과 관련이 깊어.
믿습니까?
믿습니다!!
믿음이라는 한자는 신(信)이지.
信
그건 사람의 말이란 뜻이야.
말처럼 막강한 영향력을 발휘하는 것도 없어.
위험
세상은 말에 의해 움직인다 해도 과언이 아냐.
우리 속담에도 '발 없는 말이 천리 간다.'
따라 올 테면 따라와 봐!
'말 한마디로 천 냥 빚을 갚는다.'
천 냥 빚은 다 갚았네.
한 냥 뿐이잖아!
'가는 말이 고와야 오는 말이 곱다.' 등이 있어.
말
말
말을 어떻게 하느냐에 따라 결과가 다르게 나타날 수 있다는 것이지.
말
말

따라서 우리 삶에서 말은 매우 중요하다는 걸 알 수 있어.
말
말
말만 앞세우고 실천하지 않으면 식언이고 허언이라 하지.
믿을 만한 사람이 못 돼!
말
말
말
말을 먹어 버리고 지키지 않는 사람은 믿을 수 없는 사람이 돼.
성서 잠언에도 '함부로 뱉는 말은 비수가 되지만
슬기로운 사람의 혀는 남의 아픔을 낫게 한다.
참된 말은 길이 남지만
거짓말하는 혀는 눈 깜짝할 사이에 잘린다.' 고 하였으니 말의 위력을 알 수 있겠지?
!
이러한 말을 노자는 어떻게 이야기했을까?
81장
현질 顯質

知者不言、言者不知、塞其兌、閉其門、
挫其鋭、解其分、和其光、同其塵、
是謂玄同、故不可得而親、不可得而疏、
不可得而利、不可得而害、
不可得而貴、不可得而賤、故爲天下貴。

아는 자는 말하지 않고,
말하는 자는 알지 못한다.
그 날카로움을 꺾고, 그 얽힌 것을 풀고,
그 지혜의 빛을 거두어들이고, 속세에 동화하는 것,
이를 일러 현동이라고 한다.
이런 사람은 가까이할 수도 없고, 멀리할 수도 없고,
이롭게 할 수도 없고, 해롭게 할 수도 없다.
귀하게 할 수도 없고, 천하게 할 수도 없다.
그러므로 천하에서 가장 귀한 사람이 된다.

(56장)

노자는 지혜로운 자는 행실을 귀히 여기고
감사합니다.
말은 귀하게 여기지 않는다고 했어.
It
감사합니다.
날마다 떠들기 좋아하는 사람은 도가 무엇인지 알지 못하기 때문이야.
주저리, 주저리
중얼, 중얼
도? 그게 뭔데?
조잘, 조잘

사물을 완전히 초월하여 욕심이 없는 사람은 친할 수도 멀어질 수도 없고
이익을 줄 수도, 해로움을 끼칠 수도 없고
귀하게도 천하게도 만들 말이 없으면
도와 합일한다는 거지.
道
즉, 말없이 사랑하고 아무도 모르게 봉사하고
?
눈에 드러나지 않게 좋은 일을 하는 것
쌀이다!
이런 고마울 데가….
칭찬과 격려의 말은 힘을 주지만
넌 최고야! 정말 예뻐.
정말?
상처를 주는 말은 힘을 깎는 법
나쁜 남자 흑!
넌 정말 최악이야. 거울 좀 봐라.
욱~ 왜 날?
말은 적게 하고 베푸는 행동은 크게 하는 것이 자연의 도에 맞는 성인의 길이라는 거야.

전국 시대는 어떤 시대일까?

삼가분진이 일어나다

중국의 역사를 배우면서 춘추 · 전국 시대라는 말은 많이 들어보았을 겁니다. 전국 시대는 그중에서 뒤에 해당하는 시대로 춘추 시대와 전국 시대로 구별할 때 사용합니다. 전국 시대는 춘추 시대에서 가장 큰 나라였던 진(晉) 나라가 세 개의 나라로 나눠지는 일에서부터 시작합니다. 역사가들은 이를 삼가분진이라고 부릅니다. 이후 전국 시대부터는 제후국들이 본격적으로 국가를 칭하고, 세력을 넓히기 위해 수많은 전쟁을 일으켰답니다.

《전국책》이라는 책 제목에서 '전국'이라는 이름이 생기다

춘추 시대에는 패자들이 힘이 약한 주나라 왕실을 존중한다는 기본적인 가치관이라도 있었지만 전국 시대에는 제후들 사이에 오로지 힘과 힘이 대결하는 약육강식의 시대였습니다. 그래서 전국 시대라고 부르고, 이 시기에 힘이 약한 백성들은 수많은 고초를 겪게 됩니다. 전국 시대란 명칭은 유향이라는 학자가 편찬한 《전국책(戰國策)》이라는 책 제목으로부터 생겼습니다.

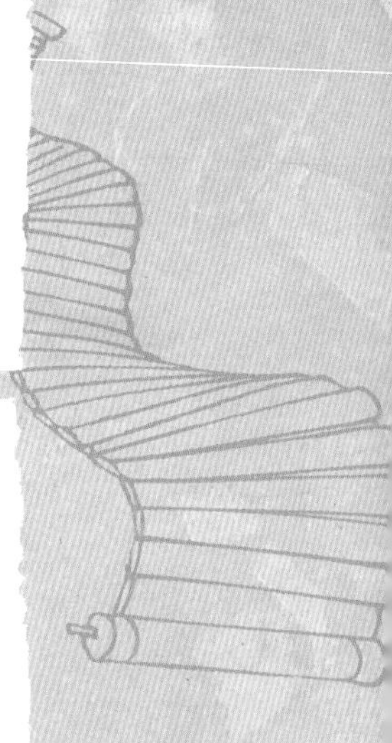

사상적 발전은 이루어졌지만, 사회 혼란이 계속되다

전국 시대 때는 철제 농기구가 보급되고, 관개 시설이 발달하여 농업 생산력이 향상되었으며, 상공업이 발달했습니다. 그리고 제자백가의 학문적 분위기가 더욱 고조되었습니다. 이들은 서로 논쟁을 벌이며 사상적 발전을 이루었습니다. 하지만 끝없는 전쟁과 사회적인 혼란이 가중되어 백성들의 삶은 하루도 편할 날이 없었던 시대이기도 했습니다.

전국 7웅이 세력을 다투다

전국 시대 때는 전국 7웅(七雄)이라고 불린 연(燕), 제(齊), 한(韓), 위(魏), 조(趙), 초(楚), 진(秦)이 서로 세력을 다투었습니다. 말기에 이르면 진(秦), 제(齊), 초(楚) 등 힘이 센 세 나라의 쟁탈전으로 변하였습니다. 그 후 진(秦)나라의 시황제가 등장하여 중국 최초의 통일국가를 이룩함으로써 전국 시대는 끝이 난답니다.

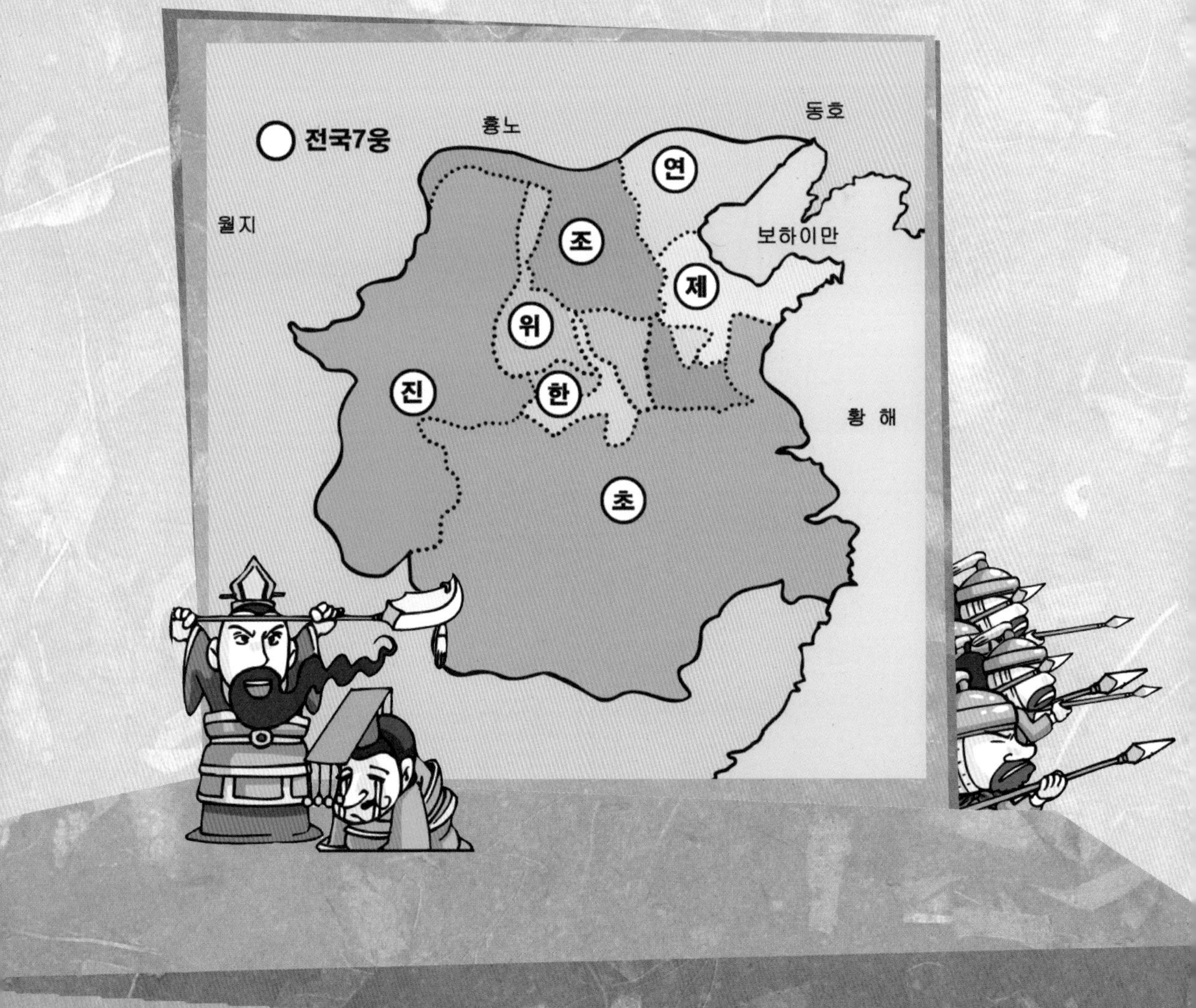

전국7웅
흉노
동호
월지
연
조
제
보하이만
위
진
한
황해
초

제7장
칭찬과 비난에서 자유로운 사람
천지가 영원한 까닭과 성인이 영원히 존경받는 까닭은 무엇이라 생각해?
《도덕경》 7장에서 노자는
天地所
以其不自
是以聖人後
外其身而身
非以其無私耶
故能
천지가 영원한 것은 스스로를 위하지 않기 때문이다.
천지는 만물을 싣고 있지만 조금도 자신의 공으로 생각하지 않는다.
성인도 한결같이 자신을 뒤로 하고 남을 위하기에 영원하다.

모든 일에 있어 이해득실을 따지지 않음으로써 그 이득을 본다.
제 것은 그냥 쇠도끼예요.
정직하니 모두 주겠네.
자신을 뒤로 함으로써 숭배를 받는다고 했어.
젊은 친구가 참 올바르군.
별말씀을.
천지와 성인이 영원한 까닭은 자신을 위해 살지 않기 때문이라는 거야.
우리도 천지를 본받아 이기심을 버리고 마음을 비워 자신을 완성시켜야 하는 거지.
이기심
톡!
이기심
자만
이기심
이기심
욕심
5장에서도 천지와 성인은 공평하다고 하였는데 같은 말이야.
天地不仁
聖人不仁
도덕경
천지는 공평하여 세상 만물을 똑같이 여긴다.
하늘의 태양도 모든 만물을 비추어 생장시키지만 차별하지 않는다.
땅에 내리는 비도 골고루 내려 어떤 곳을 편애하지 않는 것처럼
쏴아아
성인도 백성을 똑같이 대한다는 거지.
노자는 《도덕경》 13장을 통해 이렇게 말했어.
염치(廉恥)

칭찬과 비난은 모두 놀람같이 하고, 큰 재앙은 내 몸같이 여긴다.
칭찬과 비난을 놀람같이 한다는 말은 무슨 뜻일까?
사랑받는 것을 최상으로 여기고 비난을 최하로 여겨.
으윽-
얻어도 잃어도 놀라게 되는 것을 말하는 거야.
Bye-
Hi
예를 들면 인기 연예인들은 인기가 많을 때 기분이 하늘을 나는 것 같고
와
와
와
와
인기가 떨어질 때는 죽고 싶은 심정이 된다는 거지.
썰~렁
우리는 다른 사람의 시선에 지나치게 마음을 쏟기 때문에
칭찬이나 비난을 받게 되면 마음이 몹시 흔들리게 돼.
그러면 칭찬과 비난에 마음이 흔들리는 것은 무엇 때문일까?
칭찬을 높은 것으로 보기 때문에 그것을 잃을까 두려워하기 때문이야.
그리고 비난은 낮은 것으로 보고, 모욕을 받으면 창피하다고 느끼기 때문이지.

사람들은 유명해지기를 좋아하고
이름이 더럽혀지는 걸 싫어하지.
홍길동
출세했다고 우쭐대지 않고
실패했다고 한탄하지 않는 사람은
보기 드물어.
칭찬이나 비난은 좋아하고
싫어할 게 아니라
넌 저리 가!
칭찬도 비난도 경계해서 늘 조심하라는
거야.
항상 마음을 다스려 좋을 때나 나쁠
때나 크게 출렁거리지 않게 해야 해.
도덕호
이 정도면 흔들리지 않겠지.
또한 큰 재앙을 내 몸같이
여긴다고 하는 말은 무슨
뜻일까?
내가 큰 재앙을 당했다고
여기는 것은 내 몸이 있기 때문이야.
바로 너 때문이야!
칭찬도 비난도 받을 내가 없다면
어떻게 될까?
'누워서 침 뱉기' 라는 속담이
있지?
퉤!
그래, 욕을 하면 그 욕이 도로
자신에게 오는 걸 말해.
그래서 노자는 자신을 버려야
모든 것에서 벗어날 수 있다고 한 거야.

일찍이 부정이 대긍정이 되는 것을
보여 준 사람이
노자야.
긍정
부정
긍정심리학이라는 학문이 있어.
이것은 모든 걸 긍정적 시각으로
보는 거야.
긍정심리학
아무리 힘든 상황에서도 희망을
보고, 아무리 잘못해도 장점을
살리는 심리학이지.
희망
항상 웃으려 하고 항상 격려하는
마음을 키우는 거야.
사실 노자는 자연주의, 평화주의,
민주주의를 제창한 최초의 인물이자
긍정심리학의 대가이기도 해.
순간적인 만족에
머물지 않고 영원한 행복을
원한다면
남을 위해 봉사를 해 봐.
순간적 쾌락은 많지만, 그 어느 것도
지속적일 순 없다고 했지.
정말 재밌어.
행복해!
가장 은은하게 지속적으로
행복감을 주는 것은
에고, 허리야.
!
자신보다 남의 행복을 위해 뭔가를
하는 기쁨일 거야.
고맙네, 젊은이.
자신의 행복보다 남의 행복을 찾고자
할 때 진정 자신을 살리고 진리를 배울
수 있을 거야.
예수도 같은 말을 했어.

마태복음에 이런 글귀가 있어.
신약 성서
나를 따르려거든 자기를 버리고 제 십자가를 지고 나를 좇을 것이다.
제 목숨을 구하고자 하면 잃을 것이요, 나를 위하여 제 목숨을 잃으면 구할 것이다.
하느님을 따를 테니 살려 주세요.
자기를 높이면 낮아질 것이요, 자기를 낮추는 자는 높아지리라.
계산에 밝은 이기적인 자기를 죽이는 길이 진정한 구원의 길임을 설명한 거야.
자신의 이익만 챙기는
뻥
이기적인 나는 사라져라!
노자와 예수는 시간적으로나 공간적으로 공통점이 없지만 같은 말을 하고 있어.
불교에서도 이와 같은 뜻으로 무아(無我)란 말이 있지.
《장자》 소요유에도 '사사로움이 없으면 명예나 굴욕도 없다.' 했어.
逍遙遊
그러자면 사람은 사리사욕과 자신만을 생각하는 마음을 없애야 해.
다들 사라져 버려!
이기심
사리
사욕
그럼 어떤 명예나 치욕에도 흔들리지 않을 거야.
치욕
명예
치욕
그래서 노자는 진정 자신을 버릴 수 있는 자라면 천하를 맡길 수 있다고 했어.

그래서 성인은 천하를 나와 함께 한 몸으로 보고
조그만 자신을 위하지 않는 까닭에 공정하다고 한 거지.
마치 태양이 천하 만물을 고루 비추는 것처럼 마음을 평등하게 써야 되는 거야.
사람들은 굴욕을 피하고 영화만을 추구하며,
선을 택하고 악을 버린다.
그러나 그 차이가 얼마나 되는가?
대도(大道)는 매우 광대하고 무궁무진하여
세속과는 큰 차이가 있다.
사람들은 모두 눈부신 빛을 내뿜고 있는데,
나만 홀로 흐리멍덩한 모양이로다.
사람들은 모두 영리한데,
나만 홀로 아무것도 구별하지 못하는구나. (20장)
사람들은 모두 무엇을 이룬 것 같은데
나만 홀로 우둔하고 멍청하다고 노자는 독백하지만
바로 그것이 도를 체득한 자의 생활 방식이라는 걸 알 수 있지.
환경이나 대상에 끌리지 않고 안으로 평정을 지키는 성인의 삶은 물과 같다고 노자는 말해.

최고의 선은 물과 같다.
물은 만물을 이롭게 하면서도
다투지 않는다.
모든 사람들이 싫어하는
낮은 곳으로 흐른다.
물은 도와 가깝다.
머물 때는 머무는 곳을 잘 선택하고,
마음을 쓸 때는 연못처럼 깊게 하고,
남들과 함께할 때는 자애롭게
하고, 말을 할 때는 믿음 있게 하고,
물은 정말
평등해.
맞아!
다툼이 없으므로 잘못을
범하지 않는다.
안녕!
안녕!
이상적인 삶의 방식은 물처럼 사는
거구나.
WATER
운동 후
물 한 모금,
천국이
따로 없지!
'상선약수'는 《도덕경》에서 가장
유명한 구절이야.
도덕경
上善若水
노자는 도와 덕을 갖춘 참사람(성인)
은 물처럼 살아간다고 강조해.
누구?
나?
성인!!
도를 비유하여 잘 설명할 수 있는
것이 자연 가운데 물이지.
그럼 내
이야기 좀
해 볼까요?
그래서 《도덕경》에 물 이야기가 자주 나와.

그럼 물의 어떤 점이 그러할까?
첫째, 물은 만물을 키우는 일을 하지.
물은 생명의 근원이지.
사람 몸의 70%가 물이라는 사실을 굳이 강조할 필요 없겠지?
모든 생명체의 바탕이라는 점에서 생명수라 할 수 있어.
물은 만물에게 베풀면서도 대가를 바라지 않아.
쏴아아
성인도 물처럼 모든 사람에게 베풀되 보답을 바라지 않아.
물이 만물을 키우면서도 그것을 의식하지도 않는 것처럼 말이야.
무언가 베푼다고 의식하면 곧 허물이 되고
선물을 가지고 왔습니다.
갑자기 무슨 선물인가?
생색을 내게 되고, 계산을 하게 되고, 마음이 불편해지게 돼.
청탁을 위한 선물이라면 그냥 가져가게.
윽! 어떻게 알았지?
둘째, 물은 모두가 싫어하는 낮은 곳으로 흘러가.

산에 막히면 돌아갈 뿐이지, 산을 탓하지 않아.
이처럼 성인도 겸손하여 자신을 높이지 않고 남과 다투지 않지.
저곳은 내 자리야.
지위
무슨 소리, 웃기지 마!
돈이 많고 지위가 높아지면 교만해지기 쉬워.
공을 이루면 물러설 줄 아는 자가 현명하지.
?
지위
잘 있어!
교만하여 자신이 잘나서 그런 줄로 착각하면 철퇴를 맞기 쉽거든.
퍽!
욱-
집 안에 금과 옥이 많으면 언제 도둑이 들지 알 수 없으니 근심이 많아져.
지위가 높아지면 언제 떨어질지 모르니 늘 마음이 불안하지.
지위
중국의 역대 황제 중 제명에 죽지 못하고 독살이나 암살된 자가 많아.
따라서 형제를 죽여야 안심하고, 측근을 믿지 못하여 수시로 추방하고, 의심과 경계를 늦추지 못했겠지.
호화로운 황실의 부귀영화와 권력을 움켜쥔 대가가 너무 비참하지?

셋째, 물은 어떤 그릇에 담겨도 그 그릇에 순응해.
둥근 그릇에 담기면 둥글게 되고, 네모진 그릇에 담기면 네모가 되지.
어떤 상대도 거스르지 않고 밀어내지도 않아.
성인은 마음이 늘 비어 있어 어떤 생각도 받아들이고 어떤 생각에도 사로잡히지 않아.
생각
생각
생각
생각
툭
성인은 고정된 신념이 아닌
쿵
유연한 사고로 살아가는 사람이라 하겠지.
뿅
관념
신념
사고
그래서 성인은 모든 걸 자연에 맡기고 유유자적한 삶을 사는 거야.
사고
통
통
통
넷째, 물은 더러움을 씻어 주지? 세수와 목욕도 물로 하고
청소도 물로 하고, 세탁도 물 없이는 못 해.
덜컹
덜컹
물의 중요한 기능 중 하나가 정화 작용이야.
기독교에서는 세례 의식이 있고, 힌두교도들은 일생을 마칠 때 갠지스 강으로 가서 목욕하며 죄를 씻는 의식을 해.

새 사람으로 거듭 태어나고, 보다 나은 새로운 삶이 되길 바라는 거지.
그런데 잘 보면 물은 만물의 더러움을 씻어 주면서도 그 더러움을 고스란히 떠안고 있어.
뭐든지 물에다 버리는군!
그러면서도 눈살 한 번 찌푸리는 법이 없어.
남의 허물 나아가 세상 허물을 대신 진다는 것은 성인이 아니면 흉내도 못 낼 일이지.
허물
깊은 연못처럼 참사람은 마음을 비우고 침묵을 지키지.
촤~악
마음
20장의 '도는 바다와 같다.'는 말도 같은 뜻이야.
道
바다는 이 세상 모든 물이 흘러들어와도 담담하고 불평이 없어.
좋은 물, 나쁜 물을 차별하지 않고 모두 받아들이지.
바다
성인도 물과 같아서 높이 있어도 남에게 위세를 부리지 않고 권위 또한 느끼지 않으니 불편할 일도 없어.

물을 본받으면 다툼이 없어지고
남을 이롭게 하면서 허물이 없어 도와 가까워져.
자아*를 없애고 남과 다투지 않으면 도에 부합되는 거야.
ego
道
남을 돕되 나타내지 않고, 겸손해야 한다는 것이지.
모든 허물을 벗은 당신이야 말로 성인이십니다.
별 말씀을.

*자아(自我) – 자기 자신에 대한 의식이나 관념.

노자는 가장 훌륭한 인격도 이와 같은 심성과 행위를 갖추어야 한다고 했어.
성인은 사람들이 꺼리는 낮은 곳에 머문다고 했어. 난 성인이 될 거야!
그곳은 위험해. 어서 올라와!
하여 남들이 꺼리는 곳도 자진해서 갈 줄 알며
도를 얻고자 함에 때와 장소가 있을 수 없다.
道
아얏!
남이 싫어하는 일도 스스로 해야 해.
화장실
화장실 청소 정말 싫어!
그 일을 하는 것이 도를 실천하는 일이야.
즉, 소와 같이 무거운 책임을 기꺼이 지고
갖은 모욕을 견디는 성품을 지녀야 한다는 거야.
염세 주의자
거짓말 쟁이
몽상가
위선자
그 사람은 자기의 능력이 닿는 데까지 남을 위해 일하면서 결코 공을 내세우지 않고 명예와 이득을 탐내지 않아.
소만큼 헌신적인 동물도 드물지.
이것이 바로 노자의 만물을 이롭게 하면서도 다툼이 없는 사상이란다.

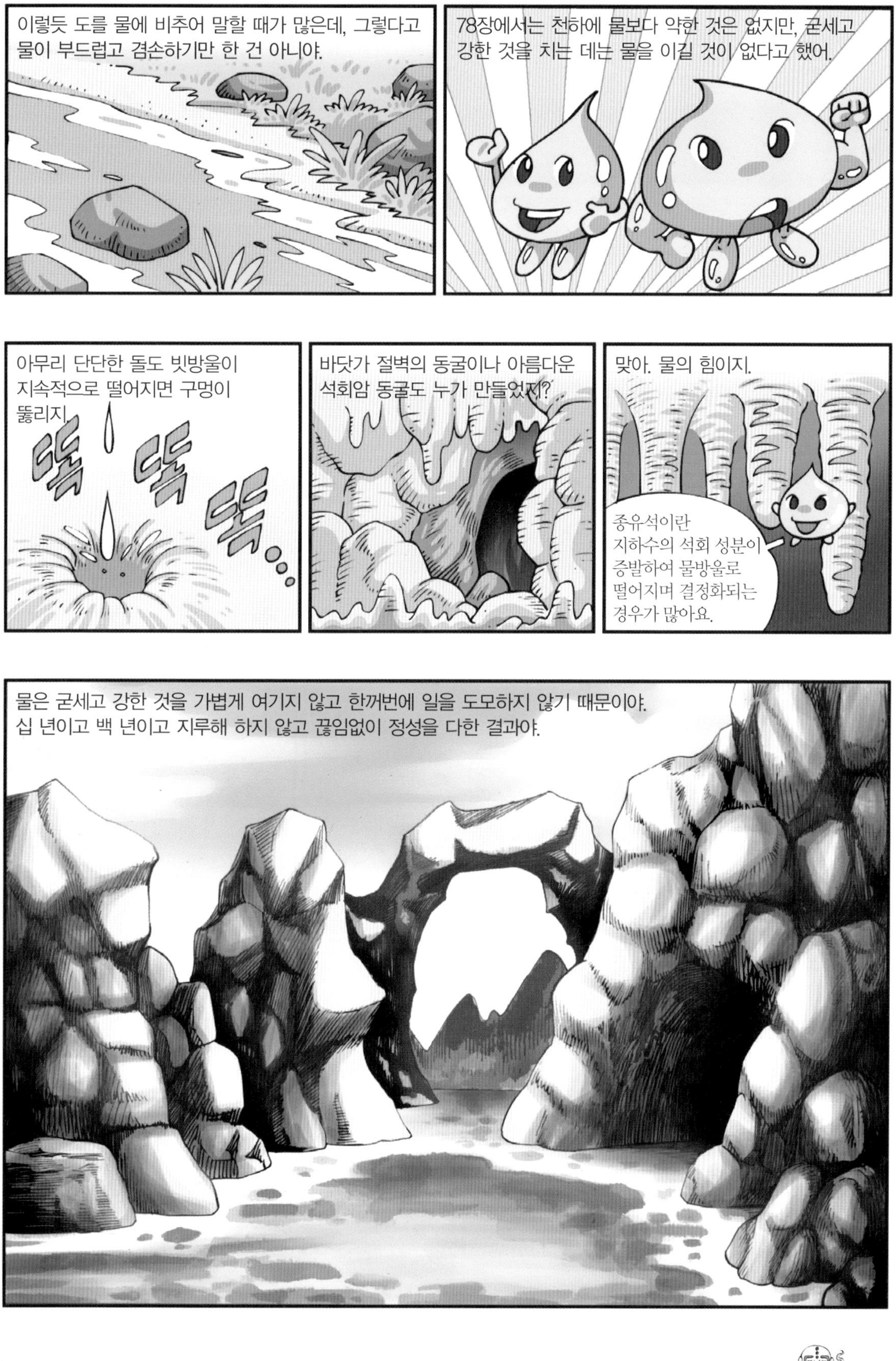
이렇듯 도를 물에 비추어 말할 때가 많은데, 그렇다고 물이 부드럽고 겸손하기만 한 건 아니야.
78장에서는 천하에 물보다 약한 것은 없지만, 굳세고 강한 것을 치는 데는 물을 이길 것이 없다고 했어.
아무리 단단한 돌도 빗방울이 지속적으로 떨어지면 구멍이 뚫리지.
똑똑 똑똑 똑똑…
바닷가 절벽의 동굴이나 아름다운 석회암 동굴도 누가 만들었지?
맞아. 물의 힘이지.
종유석이란 지하수의 석회 성분이 증발하여 물방울로 떨어지며 결정화되는 경우가 많아요.
물은 굳세고 강한 것을 가볍게 여기지 않고 한꺼번에 일을 도모하지 않기 때문이야. 십 년이고 백 년이고 지루해 하지 않고 끊임없이 정성을 다한 결과야.

제 8 장 훌륭한 지도자

도를 알려면 어떻게 해야 할까?

도는 만물을 낳는다고 했지?
道

도는 만물의 어머니라 할 수 있어.

이렇듯 도와 같이 말할 수 있는 어머니란 누구일까?
과연 어머니의 덕성이라면 무엇일까?
어머니의 덕성 이라면 모성애를 말하는 거겠죠.
道

갓 태어났을 때 어머니는 나를 어떻게 대했을까?
응앙

어머니는 자나 깨나 늘 옆에 두고
갓난애를 보살피셨지.
행여 다칠까 봐 잠시도 곁을 떠나지 않았고
화상
교통사고
유괴
질병
아무리 성가시게 굴어도 마다하지 않았지.
엄마!
엄마!
그렇다고 무엇을 바란 적은 한 번도 없어.
많이 컸구나!
자란 후에 평생 옆에 두려 하지도 않아.
훌륭한 어머니는 자기 욕심대로 자식을 지배하지 않지.
쉬엄쉬엄 하거라.
네.
자식 키운 걸 자랑하려 들지 않고 자식에게 보답을 바라지도 않지.
네가 이만큼 자란 건 나 때문인 걸 잊지 마라.
친엄마 맞아?
자신을 버리고 자식에게 헌신하되
어머니, 괜찮으세요?
걱정 말거라.
아무것도 가지려 하지 않지.
이 모든 것이 어머니 덕분입니다.
필요하시면 언제든지 말씀하세요.
네 행복이 곧 이 어미의 행복이란다.
노자는 34장에서 어머니 같은 도의 모습을 이와 같이 이야기하고 있어.
온갖 것이 의지하고 살아도 이를 마다하지 않고, 일을 이루고도 자기를 드러내려 하지 않는다고 말이야.
어머니, 제가 이 나라의 군왕이 되었습니다.
와
와
하지만 어머니는 저의 군왕이십니다.

또한 66장에서 '성인은 백성들 위에 있으려 할 때는 말을 함에 있어 자신을 낮추었고
제가 비록 제왕이나 말을 함에 있어 제왕일 수는 없습니다.
백성들의 앞자리에 있으려 할 적에는 반드시 자신을 그들 뒤로 미루었다.' 고 했어.
제가 비록 앞에 있으나 여러분의 뒤를 따르겠습니다.
이 또한 어머니의 모습을 한 성인의 태도 중 하나라 하겠지.
도는 아무런 욕심도 없고 아무것도 가진 게 없어 텅 빈 모습이 이보다 작을 수 없어.
언제나 욕심 없으니 이름 하여 '작음' 이라고 할 수 있지.
뭐가 이리 작아?
반면에 온갖 것이 모여들어도 주인 노릇 하지 않으니, 이름 하여 '큼' 이라고 할 수 있지.
道
성인은 스스로 위대하다 하지 않아. 그러기에 위대한 일을 이룰 수 있지.
마치 어머니처럼 말이야.
이러한 어머니를 닮아야 하지 않을까?
엄마 사진인데 똑같이 만들어 주세요.
성형외과원장

그래서 노자는 52장에서 이렇게 말했어.
세상은 시작이 있는데 그것은 세상의 어머니이다.
어머니를 알면 자식을 알 수 있다.
그 자식을 알고 그 어머니를 지키면
몸이 다 하는 날까지 위태로울 것이 없다.
입을 다물고 문을 닫으라.
평생 애태울 일 없을 것이다.
입을 열고 일을 벌여라,
평생 헤어나지 못할 것이다.
작은 것을 보는 것이 밝음이다.
부드러움을 지키는 것이 강함이다.
빛을 쓰되 밝음으로 돌아가라.
그러면 몸을 망치는 일 없을 것이다.
이것이 영원을 배우는 것이다.

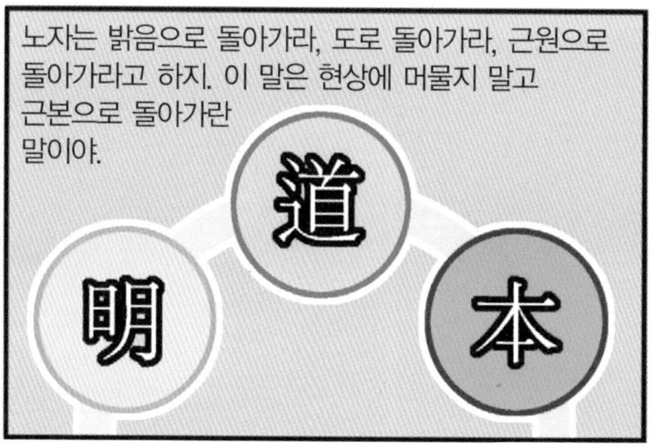
노자는 밝음으로 돌아가라, 도로 돌아가라, 근원으로 돌아가라고 하지. 이 말은 현상에 머물지 말고 근본으로 돌아가란 말이야.
道
明
本

《도덕경》의 중요한 교훈 가운데 하나는 '되돌아감'이야. 한 방향으로 무작정 가는 것은 발전이 아니란 말이지. 어느 정도에서 돌아갈 줄 알아야 한다는 것이지.

등산을 해 본 적 있어?

산을 오르다 보면 직선으로만 오를 순 없어.
!

어느 곳에서는 돌아가야 하니까.
쿵-

구불구불 길을 오르다가 능선을 만나지.
이제 겨우 봉우리 하나 넘었을 뿐이야.
능선에 일단 올라도 정상까지 가는 데에는 봉우리를 수없이 넘고
오르락내리락을 반복하지?
그러다 보면 언젠가는 정상에 도달하게 되겠지.
야호~
정상에서도 계속 오르려 한다면 어떻게 될까? 허공에 발을 딛는 것과 같아 불가능한 일이지.
이얏!
그런데도 사람들은 욕심을 멈출 줄 몰라 하늘에 닿고자 하지?
정점에 이르면 다시 돌아설 줄 알아야 한다는 이치는 어려울 게 없어.
할 수 없지. 내려가야 겠네.
하루의 변화를 보아도 알 수 있고
달을 보아도 알 수 있지.
보름달은 반달이 되더니 이윽고 그믐달이 되었다가 완전히 없어진 줄 알았는데
다시 초승달로부터 상현달이 되더니 보름달이 되지.

달의 변화와 같이 계절도 마찬가지야.
나무는 흙으로부터 물과 양분을 받아들여
봄에 싹이 트고
뾸록!
뾸록!
여름에 잎이 무성하다가
가을에 낙엽 되어
살랑
겨울에 흙으로 돌아가는 거지.
마찬가지로 인간의 삶도 그러한데, 그 이치를 실천하는 것은 어려워.
노자는 밝음이란 도를 아는 것이고, 작은 것을 보는 것을 밝음이라 했어.
道
작은 것이란 누구도 귀하게 여기지 않는 자연의 도를 말해.
물은 늘 옆에 있어서 비싼 줄 모르지.
하지만 가물어서 물이 없을 때, 논밭이 타들어갈 때
쩍-
쩌억
비로소 물의 귀중함과 고마움을 알게 되는 거야.
옛날엔 기우제를 통해 비오길 기원했지.
비를 내려 주세요.

공기도 보이지 않아 늘 있는 것으로 생각하지만
삼림욕은 머리를 맑게 해!
밀폐된 공간에 갇혀서 산소 부족 상태를 겪어본 사람은 공기의 소중함을 알아.
이곳에서 내보내 줘! 숨을 쉴 수가 없어!!
이처럼 작은 것을 볼 수 있어야 소중함을 느낄 수 있어.
바로 이거야!
신선한 공기!
또한 작음은 눈에 보이지 않는 것을 일컫기도 해.
우리는 현상의 겉모습만을 보고 안에 있는 본질은 보기 어려워.
밤의 겉모습만 본다면 알맹이는 맛보지 못하겠지?
도는 만물의 근원이라 모든 현상의 근원이기도 해.
세상의 모든 변화와 흐름이 도를 따르는 것이지.
겉으로 드러나지 않는 도를 보려면 현상을 잘 살펴야 해.
설마 공룡 알은 아니겠지?
독버섯을 예로 들면
아름다운 색깔로 눈을 유혹하는 버섯은 대개 독을 품고 있어.
맛있는 버섯이다!
그걸 모르고 먹으면 목숨이 위태롭게 되겠지.
으~
그처럼 현상의 겉만 보아서는 안 돼.
헉! 진짜 공룡이다.
드러나지 않은 작은 것을 볼 수 있어야 진정 지혜로운 사람이라 하겠지.
작은 개미도 서로를 도와가며 살아가는데, 인간이 이들만 못하다면 안 되겠지?

그럼 문을 닫으라는 말은 또 무슨 뜻일까?
쾅
깜짝!
사람에게는 문이 여섯 개가 있어.
시각의 문인 눈, 청각의 문인 귀, 후각의 문인 코, 미각의 문인 혀, 촉각의 문인 몸, 생각의 문인 마음
이렇게 여섯 문을 통해 온갖 욕망이 일어 마음이 혼란스럽지.
냄새 좋고 맛있겠다!
지글지글
이 문을 잘 다스리는 게 수양의 요점이라 할 수 있어.
시작을 아는 것은 곧 근원을 안다는 것이고, 현상 너머 본질을 꿰뚫는다는 의미이지.
현상
본질
그러기 위해서는 욕망을 다스리고 마음을 살펴 내면을 봐야 해.
욕망
무엇이 있을까?
열까, 말까?
그러기 위해 구체적으로 어떻게 할 것인가?
노자는 5장에서 '말을 많이 하고 법규가 많으면 오히려 막히니
법규
법
법규
규범
법
예법
법
법
법
법
속을 비워 지킴만 못하다.' 고 했어.
펑
그래서 노자는 성인은 무위에 자리하면서 말없는 가르침을 베푼다고 했지.
不言之敎
무위

어찌 말하지 않고 가르칠 수 있을까?
읍
음
음
?
진짜로 말하지 말라는 것과는 다르지.
이제 뭔 말인지 알겠냐?
우리는 항상 자신의 총명을 믿고 자기 주장만 해.
IQ250
난 똑똑한 천재야. 내 말이 곧 진리지.
상대방의 의견은 인정하려 하지 않아.
함부로 진리를 남용하지 마라!
윽!
말이 많을수록 도에서 멀어지고 쓰라린 상처와 회한만 남지.
!
데굴데굴
부모와 자식의 갈등도 부당한 간섭과 잔소리에서 시작해.
아빠가 시키면 그냥 해.
공부, 공부! 독재자!
노자는 63장에서 이렇게 말했어.
함이 없음(무위)을 실천하고
일 없음(무사)을 실행하여
맛 없음(무미)을 맛보도록 하라.
작은 것도 큰 것 같게 여기고
적은 것도 많은 것으로 여기며
참된 덕으로 원한에 답하라.

큰 원한은 아무리 달래도 얼마간 원한이 남아.
원한
그래서 성인은 물건을 빌려준 빚 문서는 받아 두고 독촉하지 않아.
여기 문서요.
그래서 남에게 원한을 사는 법이 없어.
아직 준비가 되지 못했습니다.
남의 입장을 항상 헤아려 쪼들리고 있는 사람을 다그치지 않는 마음, 이것이 도와 일치하는 성인의 마음이야.
여유될 때 갚으세요.
노자는 17장에서 나라를 다스리는 군왕에게 네 등급이 있다고 하면서
함이 없는 정치, 말을 아끼는 정치를 가장 위에 두고 있어.
1 무위
2 인
3 위
가장 훌륭한 군왕은 백성들이 그의 존재를 느끼지 않아.
다음은 덕과 인의로 다스리는 군왕이야.
백성은 내 자식과 같으니 모든 것을 함께 하겠소.
세 번째는 위압적으로 다스려 두렵게 하는 군왕
내 말은 곧 법이다.
네 번째는 권모술수*로 백성을 속이는 군왕이야.
난 아무것도 가진 것이 없어!
군왕에 대한 믿음이 부족하면 백성들이 믿지 않게 된다는 거지.
다들 어디 가는 거야?
더 이상 이곳에서는 못 살겠어.

*권모술수(權謀術數) – 목적 달성을 위하여 수단과 방법을 가리지 아니하는 온갖 모략이나 술책.

대체로 개발 도상에 있는 나라들에서 많은 지도자들이
사람들을 속이고 자신들만 잘사는 경우를 볼 수 있어.
'피의 다이아몬드' 이야기에서 알 수 있듯이
자신들이 애국자라고 외치면서
다이아몬드는 나의 것이야!
내전을 일삼아 수많은 어린이들이 굶어죽도록
만들고 있는 것이 아프리카의 현실이야.
배고파 죽겠는데, 싸움만 하네!
독재를 해서라도 부강한 나라를
만들겠다면서 국민들을 힘으로
지배하는 통치자도 있지.
국 가
하지만 백성들이 불안해 하지 않고
안전하게 살 수 있도록 하는 게
훌륭한 정치야.
안전
훌륭한 군왕은 말을 귀중하게
여기며 공을 이루어도
자신의 공으로
자랑하지 않아.
모든 일을 성공시키고 뒤로 물러나도 백성들은
전혀 눈치조차 채지 못하는 지도자
물이다!
물이다! 물.
그냥 저절로 그렇게 된 것이라고 여기게 하는 지도자야말로
자연의 도를 몸으로 터득한 가장 훌륭한 지도자라는 거야.
와 와 와 와

이해를 돕기 위해 장자에 나오는 이야기를 해보자. 어느 날 양주라는 사람이 노자를 찾아갔어.
만약 어떤 사람이 능력이 있고 사리에 통달해 있으면 훌륭한 군왕이라 하겠습니까?
호랑이와 표범은 무늬 때문에 사람들에게 잡히고, 원숭이는 민첩한 재주 때문에 잡히는데, 그들에게 지혜가 있다고 할 수 있겠소?
재능이 있으면 남에게 부림을 받고 얽매여 도와는 점점 멀어진다오.
그렇다면 훌륭한 군왕은 어떠해야 합니까?
훌륭한 군왕이 천하를 다스리면 스스로 공을 내세우지 않고, 모든 사람들에게 혜택을 베풀고도 백성들이 그것을 느끼지 못할 정도가 되어야 하오.
공기처럼, 물처럼 예측할 수 없어야만 훌륭한 군왕이라 할 수 있다오.
이처럼 노자는 나라가 잘 다스려질 때에는 백성들이 군왕의 존재를 느끼지 못한다고 했어.
나라

정권의 규제와 압력이 없기 때문에 평안하고 여유 있게 살아가는 거지.
사라져라!
뻥
규제
압력
노자는 권력의 횡포가 없고, 백성이 자유로운 생활을 누리는 것을 으뜸으로 생각했지.
자유
가장 훌륭한 정치는 바로 무위로 다스리는 것이야.
무위
통치자는 우리 몸의 심장과 같아.
두근 두근
건강한 심장은 뛰고 있다는 것을 느끼지 못하게 해.
몸이 깃털처럼 가벼워.
심장이 날마다 뛰고 있다는 걸 느끼면, 그 심장은 병이 든 것이지.
심장이 터질 것 같아!
헉
헉
헉
군왕이란 요즈음의 대통령이나 수상에 해당되지만,
가정에서 부모
부모는 자식을 보살필 의무가 있지.
학교에서 교사
미분은 적분을, 적분은 미분을 거꾸로 하면 돼.
회사에서 각 부서장도 군왕이라 할 수 있어.
부장님, 이달 예산안 입니다.
이처럼 군왕이란 모든 영역의 지도자를 말해.

또한 노자는 '고기는 물의 고마움을 모르고
사람은 공기의 중요성을 모른다.
아! 공기 좋다.
도를 본받을 때에는 인의가 그 가운데 스며들어 강조할 필요조차 없다.
道
仁
그러나 도를 모르면 인의가 생기고, 교활한 지혜가 나타나 큰 거짓이 생긴다.'라고 말했어.
仁
즉, 가족이 화목하지 못하자 효도와 사랑이 강조되고
공양미 삼 백 섬만…
청아!
아버님 눈만 뜰 수 있다면 구해 보겠습니다.
국가가 혼란하자 충신이 생겨났다고 주장하는 거야.
폐하, 저만 믿으십시오.
또한 선행과 덕행을 표창하는 것도 사회에 문제가 많기 때문이야.
선행상을 수여합니다.
감사합니다.
선행과 덕행이 자연스러운 일이 못 되고, 그런 일이 매우 드문 세상이기 때문이지.
할머니 들어 드릴게요.
흥! 착한 척 하기는.
아이구! 젊은이 고맙네.
국가가 안정되면 굳이 충신이 필요하지 않고, 가정도 화목하다면 굳이 효를 강조할 필요가 없겠지.
노자는 그렇지 못해 충신이 나타나고 사랑과 효를 강조하는 거라고 말했어.
이 나라는 내가 지킨다.
나 용돈 줘.

노자는 인의, 지혜, 효자, 충신 등은 모두 도가 사라져서 나타난 거라고 말해.
仁義
智慧
道
忠臣
孝慈
금지하는 규범이 많을수록 가난해지고
금지
배고파~.
무기가 많을수록 불안이 커지고
불쑥!
불쑥
불안
아구
아구
법규가 많을수록 도둑이 많아진다는 말들도 모두 같은 뜻이지.
도둑이야!
백성은 이래라저래라 명령하고 규제하지 않아도 저절로 통나무(도의 상징)가 된다는 거지.
우린 통나무. 무엇이든 될 수 있다고!
노자는 3장에서 현명함을 숭상하지 않으면 백성이 다투지 않게 되고
현명함
날 좀 봐요.
귀한 물건을 귀하게 여기지 않으면 도둑질을 하지 않아.
필요 없어! 갖다 버려.
이봐! 이건 금은 보석이야.
하고자 하는 것을 보이지 않으면, 백성들의 마음을 어지럽히지 않는다.
핏, 헛고생만 했잖아.
성인의 다스림은 마음을 비우고 배를 채우며, 뜻을 약하게 하고, 뼈를 강하게 하여
항상 백성들로 하여금 앎도 욕심도 없게 하며
빈 그릇에는 무엇이라도 담지.
지혜로운 자로 하여금 감히 하지 못하게 해.
날 가지고 무엇을 만들겠소?
즉 무위란 못할 것이 없다는 말이지.
훌륭한 지도자라면 이 사실을 잊으면 안 되겠지?

지도자가 현명함을 좇지 않으면 백성도 서로를 내세우지 않으니 다툼이 없을 것이며
현명함
재물을 귀하게 여기지 않는다면 백성 또한 부와 명예 때문에 싸울 일은 없을 거야.
욕심
욕심
첨벙
그리고 노자는 나라의 때 묻은 것을 받아들이는 것을 사직의 주인이라 말하고
굴욕 모욕 욕 굴욕 욕
나라의 상서롭지 못한 것을 받아들이는 것을 천하의 왕자라고 말하지.
으~
불 행
지도자가 명예와 이익을 탐하면 어떻게 될까?
명예 이익
나라는 혼란에 빠지고 백성들은 서로 다투기에 정신없을 거야.
웃기는 소리 하지 마!
부와 명예는 나의 것!
부도 명예도 모두 내 거야!
그러므로 성인의 정치는 백성의 마음을 깨끗이 하고, 편안하게 배를 채우되 헛된 욕심을 비우게 하지.
식사 가져 왔습니다.
욕심
음식 값은 이것으로 지불하겠습니다.
백성의 몸과 마음을 건강하게 해주는 지도자여야 훌륭한 지도자라 할 수 있어.
아주 좋아!
요즘 기분은 최고예요.
그러려면 많이 알아 잘난 체하는 사람들이 날뛰지 못하게 해야 하는 거야.
머리가 나쁘면 손발이 고생이지.
잘난 우리가 무슨 죄야? 못난 니들이 문제지.
팽
팽

그래서 노자는 2장에서 성인은 무위에 거처하여 말없는 가르침을 베푼다 하였지.
무위
아는 자는 말하지 않고, 말하는 자는 알지 못한다.
知者不言
言者不知
자신의 똑똑함을 내세워 말이 많으면 진실과 멀어지게 되어 있어. 자신을 드러내고자 말을 만들기 쉽기 때문이야.
진실
학생들을 다스리려고 법규를 많이 제정하는 학교는 참교육과 거리가 멀어.
법규
학교
규범
뻥
참교육
독재 국가에서는 법이 왕이야.
법전
민주 국가에서는 국민이 왕이야.
당신이 우리의 일꾼인가요?
네. 열심히 하겠습니다.
법령이 많고 규제가 많으면 국민들의 불만이 깊어지고 도와 멀어져.
법령
날 내려 줘!
道
자율적으로 스스로 알아서 행동하게 하고 책임지게 하는 것이 자연의 도와 일치하는 거야.
道
道
말을 많이 하기보다 침묵하고 마음을 고요하게 하는 것이 훌륭한 지도자의 자세라고 하겠지.
상급지도자
하급지도자

4장에서도 '말을 많이 하면 자주 막히니 차라리 마음을 비우고 중심을 지키라.' 고 했지.
오늘날 정치인들이 새겨야 할 말이지.
하나당
민중당
또한 26장에서는 통치자가 어떻게 처신해야 하는지를 말하고 있어.
무거움은 가벼움의 뿌리가 되고,
고요함은 시끄러움의 임금이 된다.
그러므로 군자는 종일토록 행함에 있어
신중함을 떠나지 않는다.
어찌 한 나라의 임금이
경박한 행동으로 나라를 다스릴 수 있는가!
가벼우면 근본을 잃고, 시끄러우면 임금을 잃는다.
규범
법령
법령
경박한 지도자는 마치 실이 끊어진 연처럼 모든 행동과 처신이 경솔하여 일정한 원칙이 없는 것처럼 행동하는데
노자는 한 나라의 통치자는 신중해야 하며, 즉흥적으로 말하고 행동하는 것을 경계하고 있어.

춘추 · 전국 시대에는 어떤 나라들이 있었을까?

진(晉)

주나라 성왕의 아우 숙우가 세운 나라라고 합니다. 진나라는 기원전 7세기 후반 오랜 내란을 거친 후에 즉위한 문공 때에 융성했습니다. 제후들 사이의 회맹(제후간에 맺어지는 회합과 맹약이나 그때 행해지는 의식)에서 대표가 되어 제나라의 환공과 더불어 춘추 5패(五覇;다섯 강자)의 대표 나라로 인정받았습니다. 하지만 나중에 내부 분열로 한씨 · 위씨 · 조씨가 다스리는 지역으로 나눠진 후 진의 시황제에게 멸망했답니다.

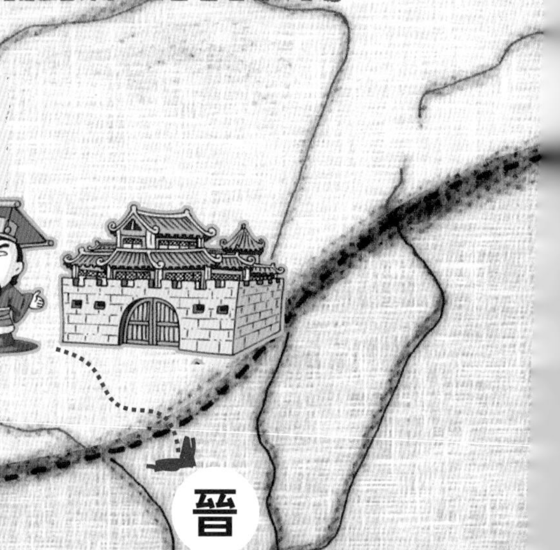
晉

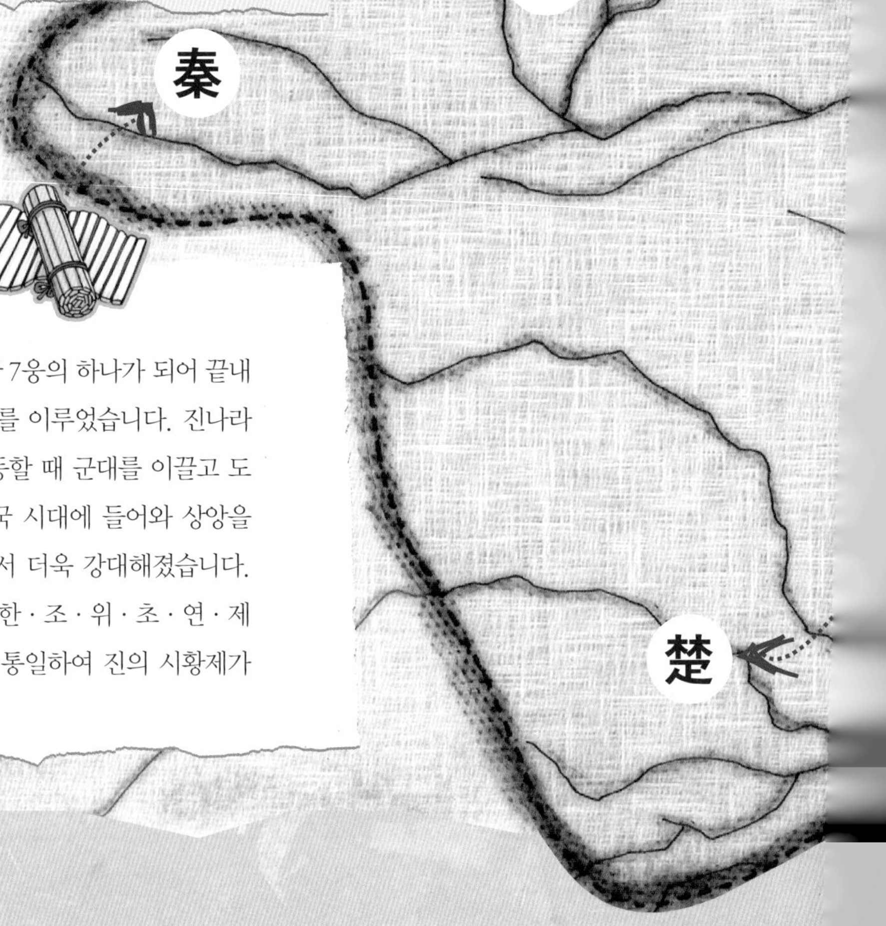
秦
楚

진(秦)

춘추 제후국의 하나로, 뒤에 전국 7웅의 하나가 되어 끝내는 중국 역사상 최초의 통일 국가를 이루었습니다. 진나라는 주나라가 동쪽으로 수도를 이동할 때 군대를 이끌고 도와주어 제후국이 되었습니다. 전국 시대에 들어와 상앙을 등용하여 부국강병책을 추진하면서 더욱 강대해졌습니다. 기원전 247년 진의 왕이 된 정은 한 · 조 · 위 · 초 · 연 · 제 6국을 차례로 멸망시키고 중국을 통일하여 진의 시황제가 되었습니다.

齊
吳

제(齊)

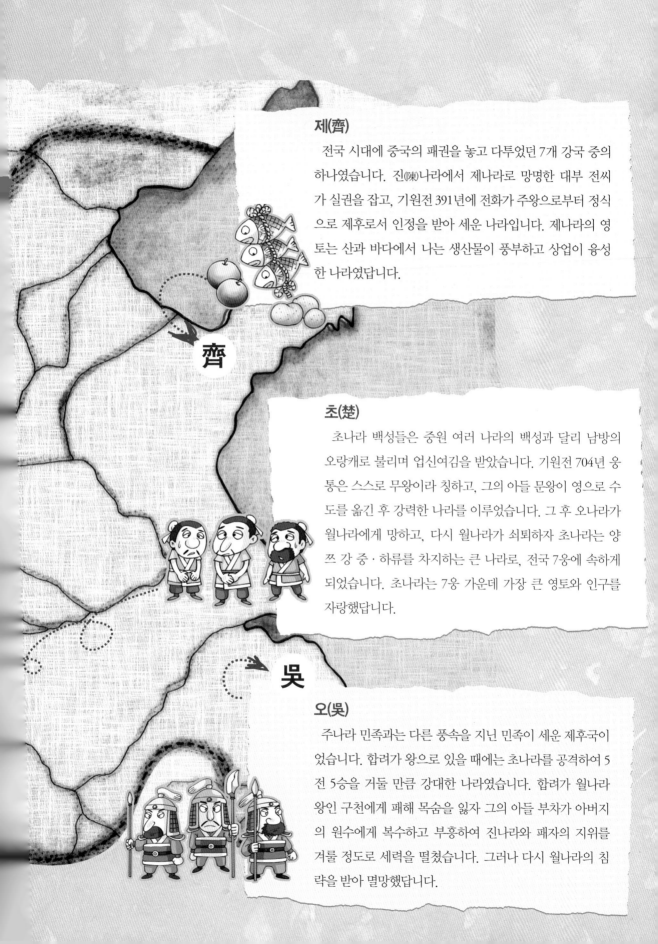

전국 시대에 중국의 패권을 놓고 다투었던 7개 강국 중의 하나였습니다. 진(陳)나라에서 제나라로 망명한 대부 전씨가 실권을 잡고, 기원전 391년에 전화가 주왕으로부터 정식으로 제후로서 인정을 받아 세운 나라입니다. 제나라의 영토는 산과 바다에서 나는 생산물이 풍부하고 상업이 융성한 나라였답니다.

초(楚)

초나라 백성들은 중원 여러 나라의 백성과 달리 남방의 오랑캐로 불리며 업신여김을 받았습니다. 기원전 704년 웅통은 스스로 무왕이라 칭하고, 그의 아들 문왕이 영으로 수도를 옮긴 후 강력한 나라를 이루었습니다. 그 후 오나라가 월나라에게 망하고, 다시 월나라가 쇠퇴하자 초나라는 양쯔 강 중 · 하류를 차지하는 큰 나라로, 전국 7웅에 속하게 되었습니다. 초나라는 7웅 가운데 가장 큰 영토와 인구를 자랑했답니다.

오(吳)

주나라 민족과는 다른 풍속을 지닌 민족이 세운 제후국이었습니다. 합려가 왕으로 있을 때에는 초나라를 공격하여 5전 5승을 거둘 만큼 강대한 나라였습니다. 합려가 월나라 왕인 구천에게 패해 목숨을 잃자 그의 아들 부차가 아버지의 원수에게 복수하고 부흥하여 진나라와 패자의 지위를 겨룰 정도로 세력을 떨쳤습니다. 그러나 다시 월나라의 침략을 받아 멸망했답니다.

제9장
진실로 현명한 자,
진실로 위대한 자
지금까지 도와 덕에 대해 살펴보고, 도와 덕을 갖춘 자의 모습을 공부했지?
이제부터는 스스로 도를 어떻게 키우고 길러야 할 것인지 알아볼까?
道
남을 살피기는 쉬워도 자신을 살피기는 어렵지.
?!
거울이 없던 시절에는 자기 얼굴이 어떻게 생겼는지 알 수 없었겠지.
?
나르시스라는 사람 이야기 들어 본 적 있어? 그는 연못에 비친 사람의 아름다운 모습에 반하여 매일 한없이 바라보다가

어느 날 보는 것으로 만족하지 못하고 그를 만지려다가
물에 빠져 죽었어.
어푸.
어푸.
물론 나르시스는 물속에 비친 자신의 얼굴에
반한 거지. 그래서 나르시즘을 자기애라고 말해.
난 정말 아름다워. 완벽해!
윽~ 공주병.
이처럼 자신을 알기는 어려워. 남의 잘못은 현미경처럼 들여다볼 수 있지만
자신의 문제는 등 뒤에 쓰인 글과 같아 알기 쉽지 않아.
문제
내 문제?
그래서 사람들은 늘 남의 허물을 가지고 화제를 삼으며 즐거워하고 남의 잘못만 보고 싸우기 일쑤야.
이 뚱땡아!
큰바위 얼굴!
자신을 잘 알려면 어떻게 해야 할까? 노자는 개인의 수양에 대해 33장에서 이렇게 이야기하고 있어.
남을 아는 자는 지혜롭고,
자기를 아는 자는 밝다.
남을 이기는 자는 힘이 있고,
자기를 이기는 자는 강하다.
만족함을 아는 자는 부자이고,
힘써 행하는 자는 뜻이 있다.
그것을 잃지 않는 자는 오래 지속되고,
죽어서도 잊히지 않는 것을
장수라 한다.

노자는 남을 아는 것은 지혜라 하고, 자기를 아는 것은 밝음이라 했어.
노자는 지혜보다 밝음을 위에 두고 있는데
밝음
지혜
밝음은 도를 아는 것 또는 근본으로 돌아가는 것이라 하였지.
자신을 아는 것이야말로 도를 얻는 것임을 알 수 있어.
道
흔히 '도통한다'는 표현을 쓰면서 남의 마음을 알거나 미래를 아는 등의 신비한 능력
보인다, 보여.
또는 신선처럼 영원히 사는 것을 상상하지.
넌 누구냐?
노자는 지극히 평범하게 자신을 아는 것이 밝은 도라고 말해.
이와 같은 뜻을 말한 철학자가 서양에도 있었지. 바로 서양 철학의 아버지 소크라테스야.
네 자신을 알라!
지금 나 보고 하는 소리야?
동서양의 성인들이 같은 결론을 내리고 있다는 건
근본은 하나로 돌아가는데 결국 자기 자신을 모르고서 도를 이야기하거나
도는 뭘까?
난 누구란 말인가? 난 누구냐고?
정치나 학문을 이야기할 수 없다는 거지.
정치는?
모르겠어. 아무것도 모르겠어.

남을 이기는 것은 힘 있다 하고, 자기를 이기는 것은 강하다는 말은 무슨 뜻일까?
그럼 이 세상에서 가장 힘센 영웅은 누구일까?
?
헤라클레스? 힘센 그리스의 신이지.
삼손, 항우, 알렉산더, 시황제, 칭기즈 칸, 나폴레옹이라고? 모두 한 시대를 호령한 영웅들이지.
그러나 가장 힘센 사람은 세상을 정복한 그들이 아니라, 자신을 정복한 사람이야.
남을 이겼지만 자신을 이기지 못한 사람을 강하다고 할 수 없지.
뭐야, 설마 내가 약하다는 소리?
자신을 이기지 못한다는 건 욕망을 이기지 못하고 감정을 이기지 못한다는 거지.
욕망
위의 영웅들이 자신을 정복한 사람들이라고 할 수는 없지.
남을 이기는 건 힘이 세거나, 무술을 배우거나, 공부를 잘하면 되지만
자기 자신을 이기자면 어떻게 해야 하는 걸까?
힘이 세거나 공부를 잘한다고 자기 자신까지 이긴다 할 순 없지.

해야 할 일을 위해 마음을 이기고
내일이 시험인데 자면 안 돼.
다이어트 중인데….
화가 몹시 날 때 폭발하기는 쉬워도 참기는 어려워.
무식한 녀석이 덩치는 크네.
뭐!
아름다운 물건을 보면 갖고 싶지만 모두 가질 수는 없지.
아름답다.
아름다운 얼굴과 목소리에 홀리지 않고 마음의 고요함을 유지하는 것
햐!
욕망과 분노를 다스리는 것이 진정으로 강한 사람이라는 거야.
욕
욕
욕
남을 아는 것은 지식이 늘어나는 것이고
지식
지식
지식
지식
자신을 아는 것은 지식으로 아는 것이 아니라 마음을 비워 내어 도를 아는 것이지.
道
마음
《도덕경》 48장에는 이것을 다음과 같이 표현하고 있어.
망지(忘知)
학문을 배우면 날로 더해 가고, 도를 닦으면 날로 줄어든다.
爲學日益·爲道日損
줄어들고 또 줄어들어 무위에 이르러 모든 것을 하지 않음이 없다.
응? 사라져 버렸네!
損之又損·以至於無爲

지식은 하루하루 늘어나 쌓이지만 도는 하루하루 덜어야 만날 수 있어.
道
지식을 늘리기만 하는 학문은 욕망을 더해 주기 때문에 온갖 허위와 번뇌가 일어나.
1, 2, 3 가, 나, 다 A, B, C
지식을 덜고 욕망을 없애 마음을 비움으로써 무위에 이르러야 해.
욕망
지식
욕망
지식
道
그러면 마음을 비운다는 게 무엇일까?
마음
이것은 아무리 설명을 들어도 어려운 부분이야.
道
척-
중세 기독교 신학자들 가운데 '부정 신학'을 주장한 무리가 있었어.
부정신학
이들은 신을 뭐라 정의하면 신이 아니라고 주장했지.
콕
정의
욱!
오히려 우리가 신에 대해 가진 생각을 하나하나 부정해 가면 진정한 신의 경지에 이를 수 있다는 거지.
부정
부정
이런 태도는 고대 인도 브라만 경전의 '이것도 아니고 저것도 아니다.' 라는 말과 통해.
절대자인 브라만은 우주의 근본 원리이자 궁극적 실재로서 기독교의 하나님과 같은데
사람들이 브라만을 부르고 안다고 할 때는 브라만은 알려지지 않는다는 거지.
브라만 이라면…
브라만은 말이지…
브라만? 모르겠네.
오히려 브라만은 알 수 없다고 생각하는 사람에게 알려진다는 거야.

노자는 71장에서도 진정한 앎에 대해서 설명하고 있어.
지병 (知病)
자기가 모르는 것이 있음을 알면 훌륭하다는 거야.
난 모르는 것이 너무 많아요.
자신의 부족함을 알고 있다니!
대단한데!
모르면서 아는 척하는 것은 곧 병이라 자신을 힘들게 하지.
아는척 하는
하지만 성인은 병을 인식하고 있기 때문에 병이 없다고 하지.
남의 장단점을 아는 것은 똑똑함에 불과하며
키가 큰 걸보니 농구 선수구나!
맞아. 넌 참 똑똑하구나.
자신의 마음과 본성을 아는 자가 현명한 자라는 가르침이라고 할 수 있겠지.
본성
마음
와-
남을 이기는 것은 힘이 있는 것이고, 스스로를 극복하는 것이 진정 강한 것이라는 거야.
만족할 줄 알고 재물을 가볍게 여기면 진실로 부유하다고 할 수 있어.
마음
아니! 천 원으로 뭘 하란 거야?
마음
천 원으로 난민들의 배고픔을 해결할 수 있어.
노자는 도를 깨닫고 근본으로 삼고 지키면 죽어도 오래 잊혀 지지 않아 장수한다고 말해.
진정 오래 사는 것은 몸으로 장수하는 것이 아닌데, 사람들은 몸 가꾸기에만 매달리니 어리석다는 거지.

옛부터 진 시황제처럼 장생불사를 원하지 않았던 사람은 드물 거야.
노자는 도에 부합하는 정신적 삶을 말했는데, 후대에 노자를 교조로 한 도교를 세워 장생불사를 목표로 삼았으니 노자의 가르침과는 거리가 멀지.
長生不死
사람들은 욕망에 사로잡혀 있어.
욕 망
살려줘!!
욕망을 없애려면 반드시 자신을 돌아본 뒤, 맑고 깨끗한 본래의 자기를 회복해야 해.
욕 망
만약 자신을 알고 이기며 스스로 만족하고 성실히 살아간다면
욕망
노자가 말하는 도를 얻었다고 할 수 있어.
道
욕망
몸은 죽어도 정신이 살아남으면 진정한 장수라고 할 수 있어.
도덕경
욕망을 비우는 길은 학문이나 지식의 길과는 달라.
학문의 길
도의 길
노자는 '배움을 끊으면 근심이 없다.' 고 말해.
배우면 배울수록 머리가 아프네!
絶學無憂
무슨 뜻일까?
번뇌의 근원인 학문과 지식을 끊으면 번뇌와 근심이 사라진다는 말이야.
번뇌
근심

사람들은 굴욕을 피하고 영화만을 추구하며
榮華
굴욕
선을 택하고 악을 버리기를 원해.
악
선
뻥
그러나 그 차이가 얼마나 될까?
善
惡
또 사람들은 뭔가 알려고 항상 밖을 열심히 바라보며 살아.
대부분의 학문도 자연 현상을 관찰하고 사회의 돌아감을 살피어 얻어 낸 지식들이지.
과학
그러나 노자는 진정한 지식은 바깥에 있는 게 아니고 자신의 내면에 있다면서 47장에서 다음과 같이 말했어.
문을 나가지 않고도 천하를 안다.
그 나감이 멀면 그 아는 것은 더욱 적다.
이로써 성인은 가지 않고도 알고,
보지 않고도 밝게 살피며,
하지 않고도 이룬다.
모두 마음의 평화를 얻기 위해서 밖에서 구하려 하나 성인은 자기 내면을 늘 살핀다는 뜻이야.
자기 성찰의 중요성을 강조하고 있는 거지.
자기성찰
나를 반성하며 욕심을 없애면 문 밖에 나가지 않아도 천하의 이치를 알며
창 밖을 내다보지 않아도 자연의 법칙을 알게 된다는 거야.

즉, 모든 사물의 원리는 멀리 있는 것이 아니고, 바로 우리의 마음 속에 있다는 거야.
밖만 보면 남의 잘못만 보게 되고
넌 문제가 너무 많아!
문제
너나 잘해.
자신의 문제는 보지 못하게 되고
내 문제?
문제
멀리 보면 지식은 늘어나나 지혜는 어두워져 사물을 있는 그대로 보기 어려워지지.
지식
지혜
멀리 갈수록 자기 내면을 아는 것이 적어진다고 말하고 있는 거야.
지식
지식
지식
지식
대부분의 학문은 '외적인 학문' 이라고 하고
그래서 마음을 성찰하는 것을 '내면의 학문' 이라고도 하지.
지식
지식
외적 학문은 삶을 편리하고 윤택하게 해 주어 물질적 행복은 얻게 하지만
마음의 평화와 연결되지는 않아.
그러므로 우리는 늘 마음속 깊은 곳을 거울같이 투명하게 하여
마음을 가리고 있는 구름들을 말끔히 제거하여 바깥 사물을 보아야 해.
이와 같은 이치는 자신의 수양에만 그치지 않아.

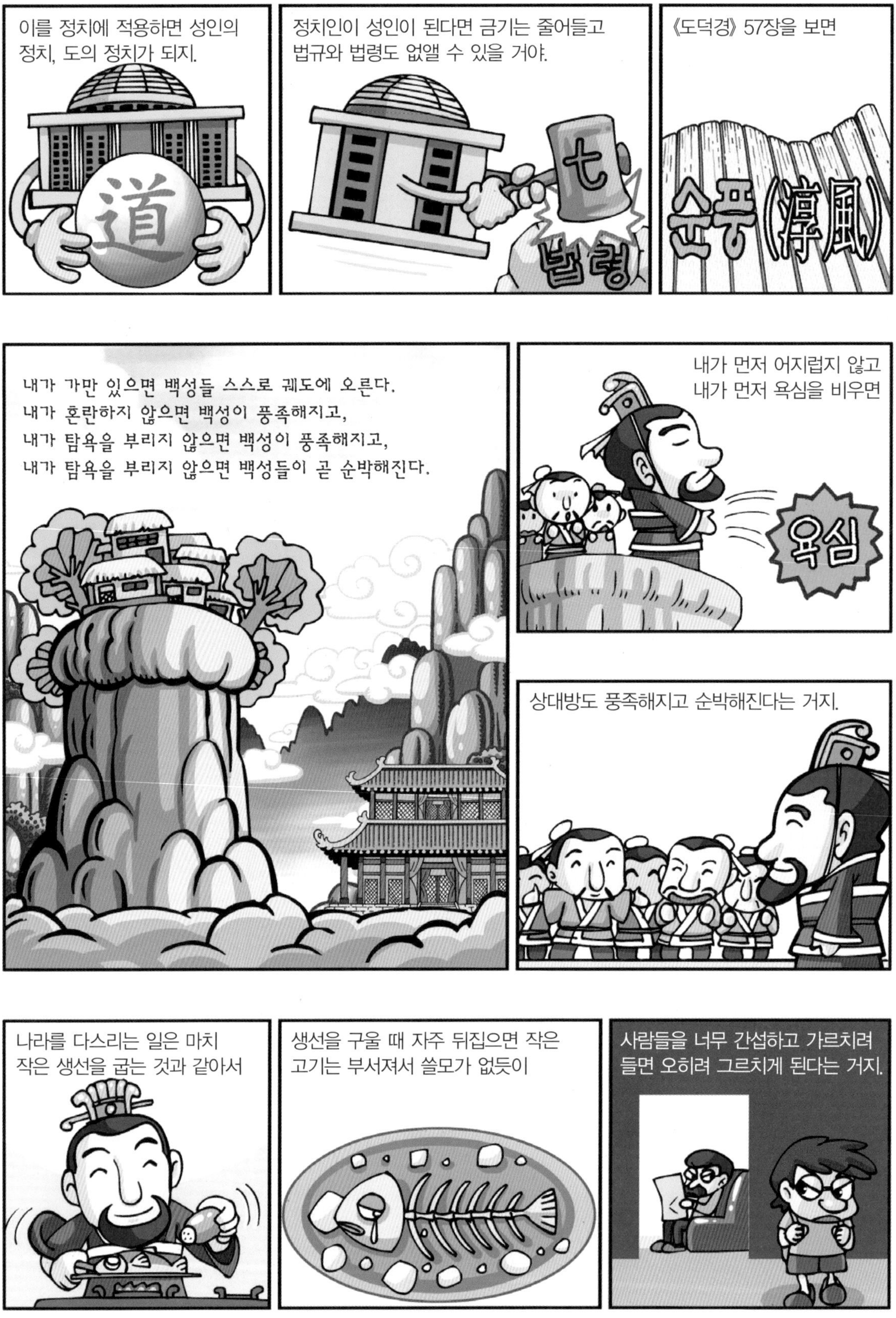
이를 정치에 적용하면 성인의 정치, 도의 정치가 되지.
道
정치인이 성인이 된다면 금기는 줄어들고 법규와 법령도 없앨 수 있을 거야.
법령
《도덕경》 57장을 보면
순풍(淳風)
내가 가만 있으면 백성들 스스로 궤도에 오른다.
내가 혼란하지 않으면 백성이 풍족해지고,
내가 탐욕을 부리지 않으면 백성이 풍족해지고,
내가 탐욕을 부리지 않으면 백성들이 곧 순박해진다.
내가 먼저 어지럽지 않고 내가 먼저 욕심을 비우면
욕심
상대방도 풍족해지고 순박해진다는 거지.
나라를 다스리는 일은 마치 작은 생선을 굽는 것과 같아서
생선을 구울 때 자주 뒤집으면 작은 고기는 부서져서 쓸모가 없듯이
사람들을 너무 간섭하고 가르치려 들면 오히려 그르치게 된다는 거지.

가만 놔두고 지켜보는 게
가장 좋은 방법일 때가 많아.
그렇다고 관심을 끊고 완전히
내버려 두면 생선은 어떻게 되지?
그래, 다 타버려 못 먹게 되겠지.
관심과 사랑을 가지고 지켜보면서
적절하게 끼어들라는 이야기야.
오래 하면
눈 나빠져.
네,
아빠.
하지만 늘 그렇듯이 노자의 말은 반어와 역설을
그대로 해석해서도
안 되는 것임을 명심해.
긍정
부정
부정
부정
부정
개인의 자율도 이런데 한 나라를 다스릴 때도
자율성은 최대로 보장되어야 해.
서울
인천
춘천
원주
청주
대전
전주
광주
대구
부산
지방 자치제가 바로 그래.
지자체
중앙 정부가 자치 단체에 일일이 간섭하고
통제하는 게 아니라
지방,
똑바로 좀
하세요.
허, 참
간섭이 너무
심하군요.
자치 단체 스스로 살림을 꾸려
나가는 게 지방 자치제의 본뜻이지.
지자체
도에 입각하여 천하를 다스리면 귀신도 사람을
해치지 않고
신도 사람을 상하게 하지 않는다고 해.

귀신이나 신을 두려워해야 한다는 게 아니라
자연스럽고 당당하게 살아가는 사람에게는 마음이 흐트러지지 않아 두려움이 없으니
따로 매달리고 의지할 대상이 필요 없어.
존경합니다.
잘못을 저지른 사람은 경찰이나 수사 기관을 두려워하고
권력에 줄을 대서 문제를 해결하려 해.
사과
그뿐이야? 어려운 일을 닥칠 때마다 점을 보고
액운*을 없앤다고 귀신에게 빌곤 하지.
평범하면서 욕심 없이 사는 사람은 힘 있는 사람에게 굽실대거나
흐흐!
힘 없는 사람을 경멸하지도 않아.

*액운(厄運) – 액을 당할 운수.

자연의 도에 맞는 삶은 굳이 의지하고 용서를 빌 신이 필요 없지.
제 죄를 사하여 주옵소서.
좋은 일에도, 어려운 역경을 만나도, 늘 마음이 한결같아 흔들림 없는 것이 진정한 마음의 평화야.
자신을 알면 두려움이 없을 것이오.

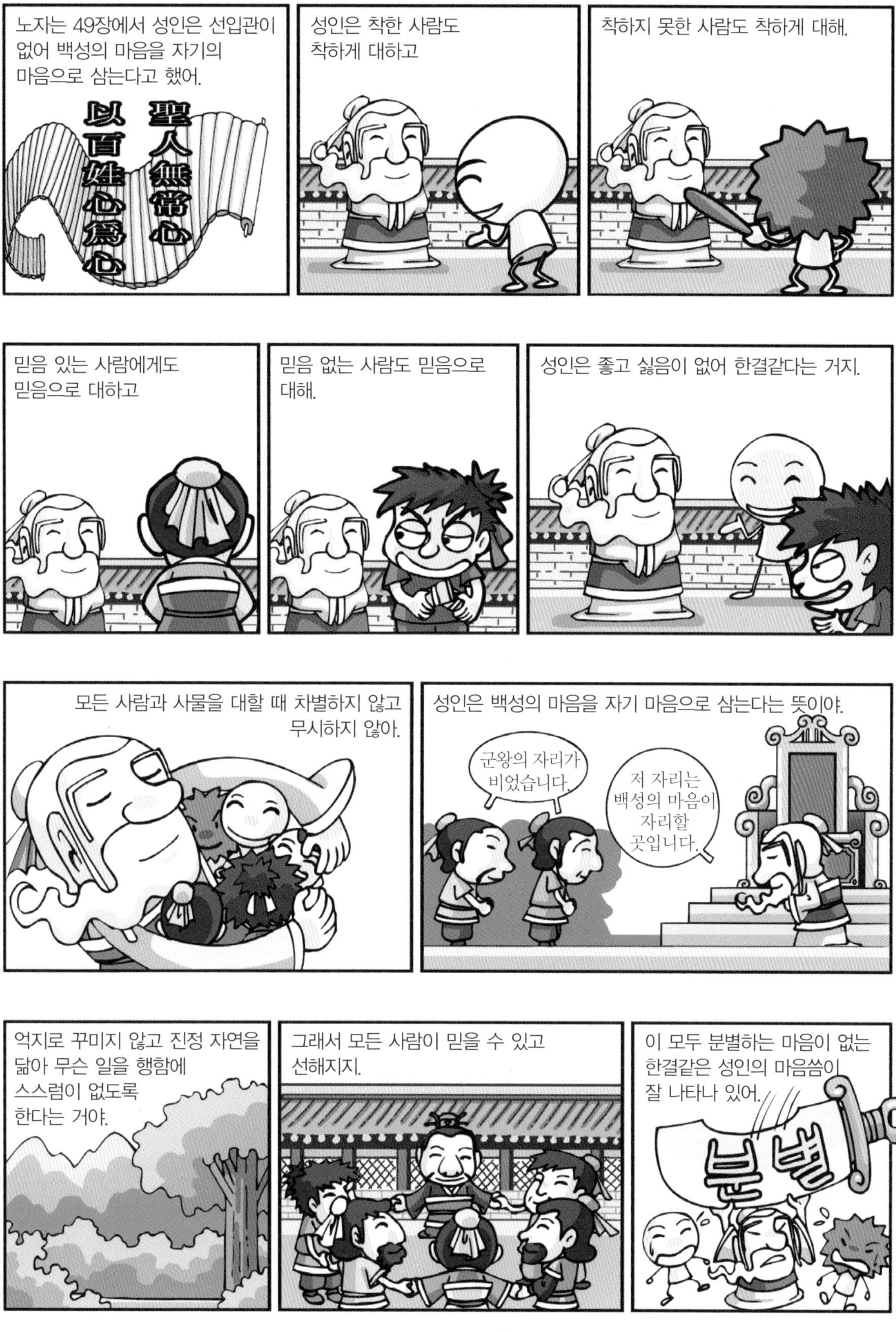

노자는 49장에서 성인은 선입관이 없어 백성의 마음을 자기의 마음으로 삼는다고 했어.
聖人無常心
以百姓心爲心
성인은 착한 사람도 착하게 대하고
착하지 못한 사람도 착하게 대해.
믿음 있는 사람에게도 믿음으로 대하고
믿음 없는 사람도 믿음으로 대해.
성인은 좋고 싫음이 없어 한결같다는 거지.
모든 사람과 사물을 대할 때 차별하지 않고 무시하지 않아.
성인은 백성의 마음을 자기 마음으로 삼는다는 뜻이야.
군왕의 자리가 비었습니다.
저 자리는 백성의 마음이 자리할 곳입니다.
억지로 꾸미지 않고 진정 자연을 닮아 무슨 일을 행함에 스스럼이 없도록 한다는 거야.
그래서 모든 사람이 믿을 수 있고 선해지지.
이 모두 분별하는 마음이 없는 한결같은 성인의 마음씀이 잘 나타나 있어.
분별

마찬가지로 이상적인 정치가는 자신의 의지를 내세우거나 펼치고 싶은 마음을 조심하지.
주관적 판단으로 시비와 선악의 기준을 정하지도 않아.
정치가
선택해 주십시오.
선한 자도 착하다고 하고, 선하지 않은 자도 착하다는 것은, 사람의 본성이 착하기 때문이야.
맹자가 이와 비슷한 성선설을 주장했지.
무슨 소리! 사람은 본디 악하니 도를 닦아야 하는 거요.
맹자
순자
진실한 자도 진실하다고 하고, 진실하지 못한 자도 진실하다는 것은, 사람이 원래 진실하기 때문이야.
내 말이 진실이야.
맹자
내 말이 진실이야.
순자
그래서 사람들의 본성에 맞추고 존중하는 자세는 훌륭한 정치가의 덕목이야.
국민
사자상승(師資相承)이라는 말 들어본 적 있지? 《도덕경》 27장에서 유래한 말이야.
훌륭한 사람은 부족한 사람의 스승이 되고, 부족한 사람은 훌륭한 사람의 바탕(자원)이 된다는 뜻이야.
처음부터 훌륭한 스승이나 성인은 없어.
노력하고 공부하여 남을 가르칠 수 있는 스승도 되고 남들의 존경을 받는 성인도 되는 거야.
도가도 비상도
꼴깍

미국 작가 너대니얼 호손이 쓴 《큰바위 얼굴》은 성인도 만들어진다는 것을 잘 보여 주고 있어.
큰바위 얼굴
Nathaniel Hawthorne
국어 교과서에도 나오는 이야기니 잠시 살펴볼까?
보스턴 북쪽의 어떤 마을의 산꼭대기에
어지러운 세상을 구원하고 보살펴 줄 것만 같은 아주 인자한 사람의 옆얼굴을 한 바위가 있었단다.
그래서 이 마을에 큰바위를 닮은 위대한 사람이 태어날 거라는 이야기가 전해져 내려왔지.
어니스트도 그 이야기를 어머니에게 들으면서 자랐지.
그는 위대한 사람을 만나고 싶었어.
마을 출신의 성공한 사람들을 모두 지켜보았지만
어니스트가 나이가 들도록 큰바위 얼굴을 닮은 사람은 나타나지 않았어.
대체 어디에 있을까?
사회적으로 유명한 사람들이 배출되었지만 어느 누구도 큰바위 얼굴과는 거리가 멀었어.
그러던 어느 날 마을 사람들은 평범하게 늙은 어니스트가 바로 큰바위 얼굴을 하고 있음을 깨닫지.

사람들은 흔히 밖에서 위인이나 구세주를 기대하지.
그러나 진정한 구원은 자신 안에서 찾아야 해.
구원
?
밖에서만 구하려 한다면 자기 자신이 간직하고 있는 보물은 빛을 발할 기회를 잃어버리는 거야.
노력도 하지 않고 신에게만 의지하거나 남이나 부모 또는 환경만 탓하는 어리석음을 되풀이하곤 하지.
저 사람이 힝~.
뭐! 내가 뭘….
이런 사람이 많아지면 나라는 분열되고 국력은 약해져 나라를 빼앗기거나 백성이 힘들어져.
기회다. 공격!
남의 허물만 보면 그것이 곧 자신의 허물인 줄을 모르는 거야.
허물?
내가 변해야 가정이 변하고
하하하!
가정이 변해야 사회가 변한다는 사실을 잊지 마.
27장을 보면 잘 가는 수레는 바퀴자국을 남기지 않는다고 했는데
선행을 하는 사람은 흔적이 없이 한다는 말로 해석할 수 있겠지.
도덕일보
익명의 할머니 평생모은 5억원 대학에 기부
5억원 기부
왼손이 하는 일을 오른손도 모르게 하라는 성경 말도 있잖아.
불우이웃

훌륭함과 똑똑함은 겉으로 드러내지 않아야 하는데도,
사람들은 서로 잘났다고 다투지.
내 말이 맞아!
무슨 소리?
나라를 다스리고 세상을 구원하겠다는 사람들의 행동이
이렇다면 어떻게 될까?
하이킥을 받아라!
국회의원 후보들이 쯧쯧….
흥! 로우킥이다.
늘 분쟁으로 나라가 시끄럽게 되고
세상은 전쟁과 테러가 반복되겠지.
이라크와 미국, 이스라엘과
팔레스타인의 오랜 전쟁을 봐.
예루살렘
가자지구
선악을 나누어 자신만이 선하다
하여 생기는 불행이잖아.
善
惡
올바른 정치를 하려면 먼저 자기 자신을 잘 알고 자신의 행동을
늘 살피는, 자기 성찰이 바탕이 되도록 해야 해.
자기성찰
자기성찰

제10장
지나친 욕심은 위험하다

오늘날 사회는 혼란과 무질서의 끝에 있어.
사회
흔들
흔들

살벌한 경쟁만 있고, 능력만을 내세워 질서가 흔들리고 있지.
사회
가만 좀 있어 흔들리잖아.
그러는 너나 움직이지 마.

정당한 권위와 위계질서도 무너진 지 오래야.
사회
위계질서
정당한 권위
배려

사회의 불안은 과식, 과소비, 담배 중독, 알코올 중독, 인터넷 중독, 마약 중독 등으로 나타나고 있어.
상품권

자살과 이혼은 늘고 폭력은 사라지지 않고 있는데, 그 원인은 지나친 욕심 때문이라고 할 수 있어.

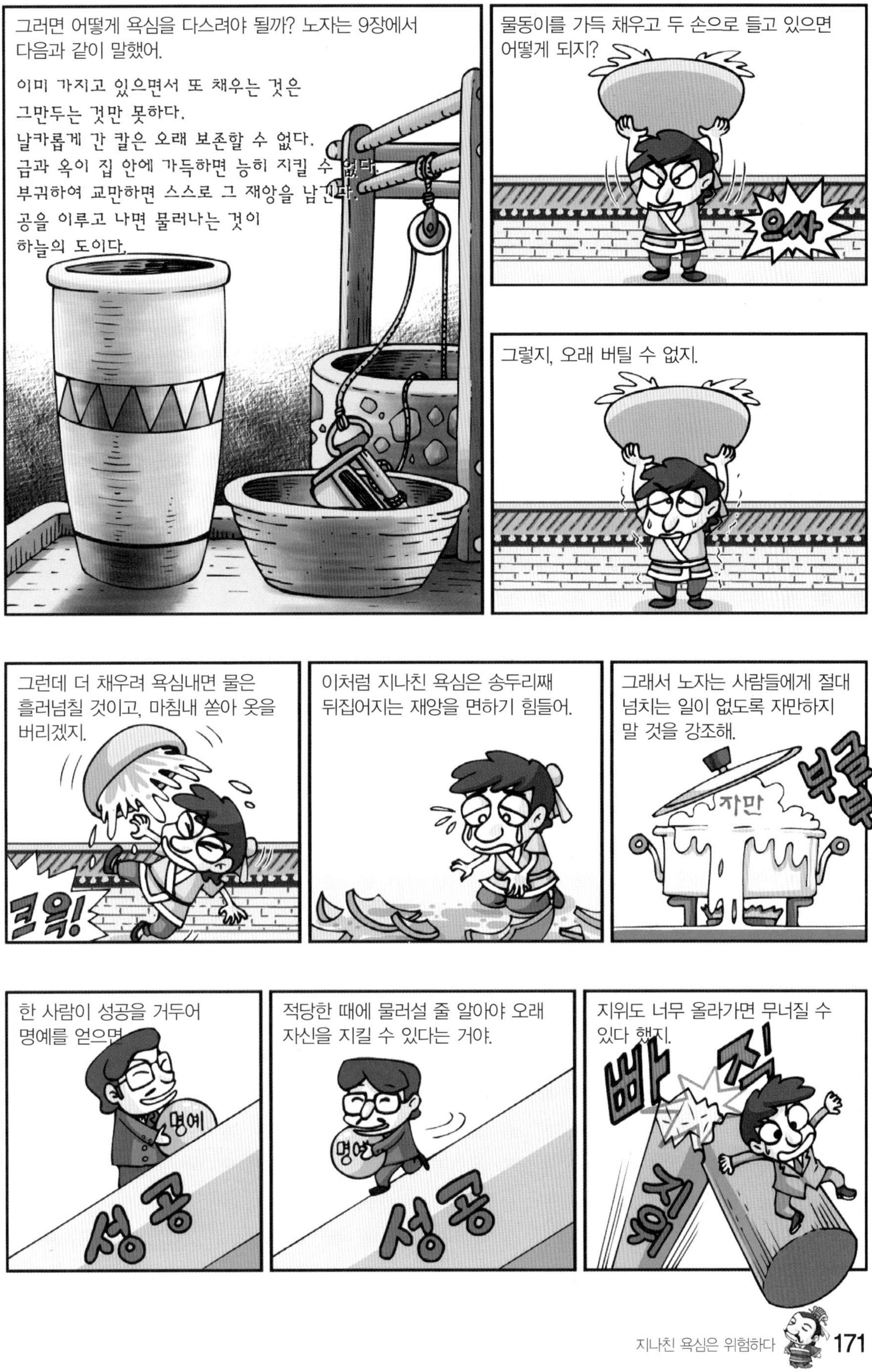
그러면 어떻게 욕심을 다스려야 될까? 노자는 9장에서 다음과 같이 말했어.
이미 가지고 있으면서 또 채우는 것은 그만두는 것만 못하다. 날카롭게 간 칼은 오래 보존할 수 없다. 금과 옥이 집 안에 가득하면 능히 지킬 수 없다. 부귀하여 교만하면 스스로 그 재앙을 남긴다. 공을 이루고 나면 물러나는 것이 하늘의 도이다.
물동이를 가득 채우고 두 손으로 들고 있으면 어떻게 되지?
으쌰
그렇지, 오래 버틸 수 없지.
그런데 더 채우려 욕심내면 물은 흘러넘칠 것이고, 마침내 쏟아 옷을 버리겠지.
크윽!
이처럼 지나친 욕심은 송두리째 뒤집어지는 재앙을 면하기 힘들어.
그래서 노자는 사람들에게 절대 넘치는 일이 없도록 자만하지 말 것을 강조해.
자만
부글부글
한 사람이 성공을 거두어 명예를 얻으면
명예
성공
적당한 때에 물러설 줄 알아야 오래 자신을 지킬 수 있다는 거야.
명예
성공
지위도 너무 올라가면 무너질 수 있다 했지.
빠직!
지위

《주역》에 이런 말이 있어.
정상에 오른 용은 후회한다고.
왜 그럴까?
정상에 오르면 기쁨만 있을 줄 알았는데….
보름달이 영원할 수 없듯이
이제 자리 좀 비켜 주지?
인기 절정을 누리던 배우도 언젠가는 신인에게 자리를 내주어야 하지.
선배님 이제 그만 내려가 주시죠.
툭
헉!
여우주연상
정상에 오르면 내려오는 것 또한 당연하겠지.
그런데도 수많은 왕과 독재자들은 물러나지 않으려 발버둥치곤 하지.
내 자리야!
이제 그만 내려와.
그러다가 암살당하거나 형장의 이슬로 사라져 갔어.
정상이 좋아 내려오지 않으려는 사람은
안 돼! 내 자리야.
좀 내려가라, 내려가.
자신의 욕구를 들어 주지 않는다고 떼쓰는 유치한 애 같지 않니?
?!
싫어, 싫어.
앙~
전교 일등만 하는 학생이 있어.
학교
난 공부 짱!
사전
그런데 어느 날 시험에서 아는 걸 실수하여 틀리고
일등을 놓치자 낙심하여 우울증에 걸리고 말았지.
전교석차 2등
학교
말도 안 돼!

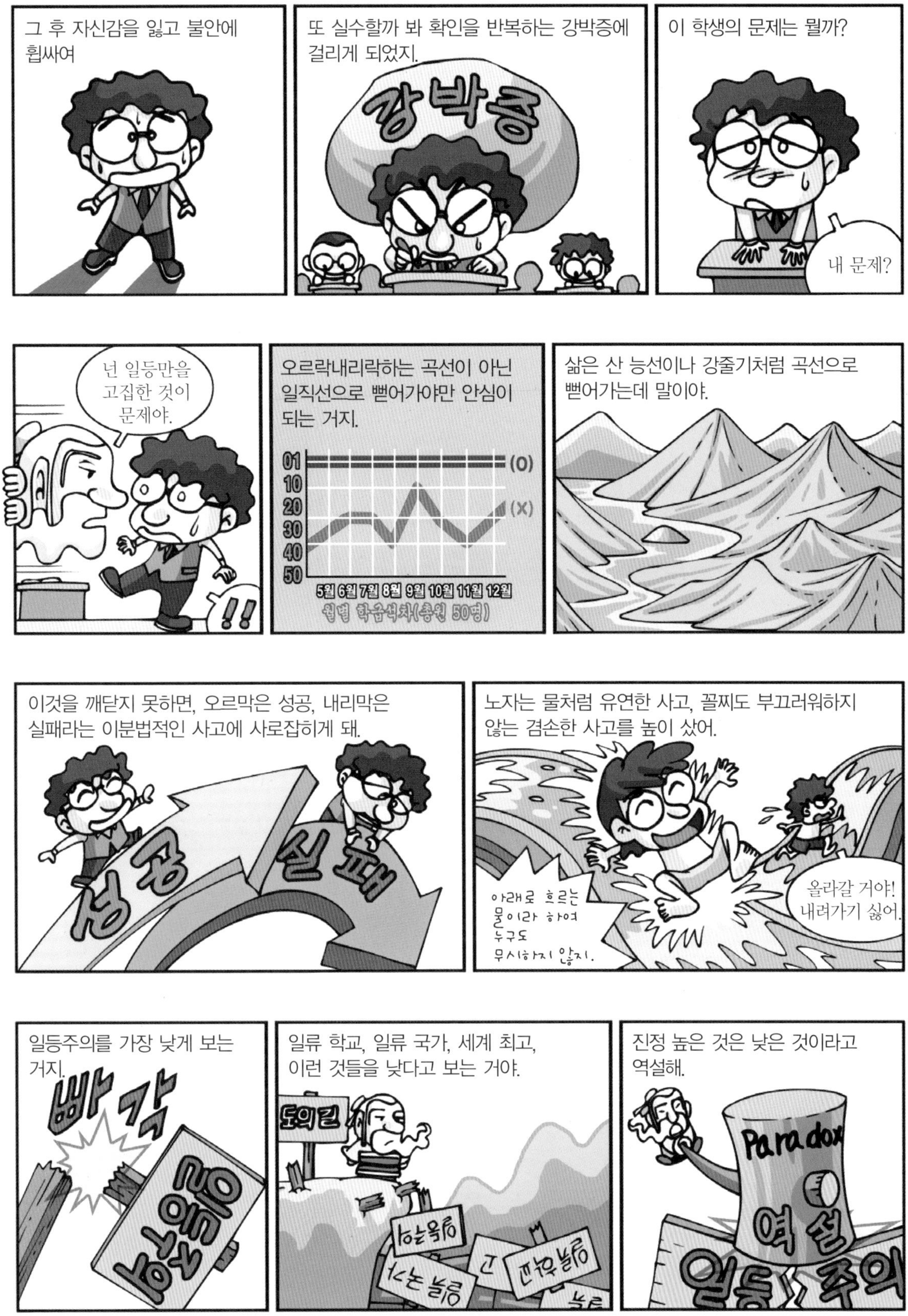

그 후 자신감을 잃고 불안에 휩싸여
또 실수할까 봐 확인을 반복하는 강박증에 걸리게 되었지.
강박증
이 학생의 문제는 뭘까?
내 문제?
넌 일등만을 고집한 것이 문제야.
!!
오르락내리락하는 곡선이 아닌 일직선으로 뻗어가야만 안심이 되는 거지.
01 10 20 30 40 50
(O)
(X)
5월 6월 7월 8월 9월 10월 11월 12월
월별 학습석차(총원 50명)
삶은 산 능선이나 강줄기처럼 곡선으로 뻗어가는데 말이야.
이것을 깨닫지 못하면, 오르막은 성공, 내리막은 실패라는 이분법적인 사고에 사로잡히게 돼.
성공
실패
노자는 물처럼 유연한 사고, 꼴찌도 부끄러워하지 않는 겸손한 사고를 높이 샀어.
아래로 흐르는 물이라 하여 누구도 무시하지 않지.
올라갈 거야! 내려가기 싫어.
일등주의를 가장 낮게 보는 거지.
빠각
일류 학교, 일류 국가, 세계 최고, 이런 것들을 낮다고 보는 거야.
도의 길
진정 높은 것은 낮은 것이라고 역설해.
Paradox
역설
일등 주의

《회남자》에서도 '천지의 길은 그 끝에 도달하면 반드시 돌아와야 하니 가득 차는 것은 손해다.'란 말이 있어.
이 말도 바로 노자의 말을 인용한 것임을 알겠지?
淮南子
《회남자》는 중국 전한 시대 회남왕 유안이 쓴 책이야.
《채근담》에도 '꽃은 반쯤 피었을 때 보라,
술은 적당히 취했을 때 멈춰야 한다.'고 했지.
나 먼저 가네.
공을 세우고도 적당한 때에 물러날 줄 알아야 해.
물러나는 것은 자신의 능력을 감추고 다 드러내지 않는다는 것이야.
그렇다고 숨어 살라는 뜻이 아니라, 스스로를 너무 내세우지 말라는 거지.
뭐! 이런 것이 아니라고?
칼과 송곳은 쓸 수만 있으면 되지, 너무 날카롭게 갈면 날이 쉽게 상하는 것처럼 말이지.
이처럼 무엇이든지 지나치면 화를 불러.
재물이 너무 많으면 오래 지킬 수 없어.
왜일까?

남들이 호시탐탐 노리고
흐흐흐...
방탕한 생활로 끝내 재물을 지키지 못하기 때문이지.
그래서 사람은 성공한 뒤에는 물러설 줄을 알아야만 하는
물러설 때는 백 스텝.
성공에 오를 때는 힘겹게 오르더라도, 내려갈 때만큼은 몸도 마음도 편할 수 있어야 하는 것이지.
성공
오르기도 하고 내려갈 줄도 알며, 멈출 줄 알고 물러설 줄 아는 것이 도에 부합된 삶이야.
도
도
도
그것은 마치 하늘이 만물을 창조하였지만, 그것을 소유하지도 의지하지도 않고, 공을 자랑하지 않는 것과 같다고 노자는 말했어. 지나친 욕심은 화를 불러일으키므로, 일을 이루면 물러날 줄 알아야 한다는 거지.

오색은 사람의 눈을 멀게 하고, 오음은 사람의 귀를 멀게 한다. 오미는 사람의 입을 상하게 한다.
말을 타고 사냥하는 것은 사람의 마음을 발광하게 만들고, 얻기 어려운 재물은 사람의 행실을 그르치게 한다.
이로써 성인은 배를 위하고 눈을 위하지 않는다. 그러므로 저것을 버리고 이것을 취한다.
사람들은 감각적 쾌락을 좇기를 멈출 줄 모르지.
쾌락
해바라기가 해를 따라가는 것처럼
하루살이가 불빛에 뛰어드는 것처럼
관능적인 쾌락에 한번 젖어들면 수렁에 빠진 것처럼 좀체 그 유혹을 떨치기 어렵지.
아름다운 모습에 취하고, 아름다운 소리와 향기로운 음식에 빠져들곤 하지.

감각이 좇는 욕망의 바다는 넓고 또 넓어 모두 채울 수 없어.
식욕
물욕
명예욕
파리가 꿀단지에 빠지는 걸 본 적 있지?
꿀단지
욕망을 채우려 하면 결국 감각의 바다에 빠져 익사하게 돼.
식욕
금전욕
명예욕
식욕
꾸욱
지나친 욕망을 추구하다 보면 순간의 만족은 맛보지만
쭈욱
오래가지 못하지.
꿀단지에 발이 붙어 버렸어!
그 만족을 계속 느끼려면 어떻게 되지?
꿀단지에 꿀이 없다면 그게 무슨 꿀단지야!!
그래, 계속 거기에 매달려야 되겠지.
꿀이 아니면 죽음을 달라!!
그것을 중독이라고 해.
중독
심리적으로 의존하게 되는 거지.
왜! 너도 줄까?
대표적으로 마약 중독을 들 수 있는데, 사회적으로도 심각한 부작용을 일으키고 있지.
유명가수들 불법약물 중독 구속!!
마약

마약 중독자는 마약 기운이 떨어지면 극심한 불안과 고통을 겪게 되고
고통
불안
불안
계속해서 마약을 복용해야 돼.
마약
반갑다!!
결국 마약의 노예가 되고 마는 거지.
?
청소년들이 흔히 빠져드는 인터넷 중독이나 게임 중독도 마찬가지야.
어른들은 도박에 중독되거나
술 때문에 알코올 중독에 빠지기도 하지.
비틀
비틀
무슨 일이든 폭력으로 해결하려는 것도 습관적 폭력 중독이라고 할 수 있어.
지나치게 놀다 보면 심신이 불안해져 넋이 나가고
넋
게임방, 게임방….
자아를 잃고
게임방 가야지. 흐흐흐….
자아
툭!
결국 덕을 해쳐 몸을 망치게 되는 거야.

그래서 도를 깨달은 성인은 검소한 생활로 끼니를 해결할 뿐
난 이거면 충분해.
감각적인 즐거움을 바라지 않지.
식탐도 욕망 중 하나!!
산해 진미
따라서 눈, 귀, 코, 혀, 몸과 같은 감관의 문을 잘 지켜
도둑이 출입하는 것을 잘 경계해야 한다고 말한 거지.
그런다고 막을 수 있겠어?
그럼 여기서 도둑은 무엇일까?
?
그래, 아름다운 색깔, 소리, 냄새, 맛, 촉감 등이지.
욕망은 우리의 눈, 코, 입을 막아 버리고 손발을 묶어 버리곤 해.
그래서 알아채지 못하는 일이 종종 벌어지는데, 그중에서도 알아채기 어려운 것이 명예욕이야.
난 욕심이 없어.
명예욕은 욕심이 아닌가?
명예욕
자신의 욕망을 알면 어느 정도 방어할 수 있겠지만 알지 못한다면 자신을 망친다 해도 깨닫지 못하지.
식욕
욕
물욕
슬금
슬금

노자는 44장에서 이렇게 질문하고 있어.
명예와 생명 중 어느 것이 더 친밀한가?
생명과 재물 중 어느 것이 더 소중한가?
명리와 목숨을 잃는 것,
어느 것이 더 큰 해가 되는가?
만족함을 알면 욕되지 않고,
그칠 줄 알면 위태롭지 않아
오래 지속할 수 있다.
名利
명예와 생명 중 어느 것이 더 친하며, 목숨과 재물 중 어느 것이 더 소중하지?
명예
생명
당연히 목숨이라 생각하지만
생명
어떤 사람은 명예를 잃느니 차라리 목숨을 버리기도 해.
생명
치욕을 당하는 것보다 명예를 중시하는 거지.
내가 조선의 국모다!
지조를 꺾느니 차라리 죽음을 택해 고결함을 지키겠다는 것이지.
우리는 역사책에서 이러한 인물들을 많이 보았지.

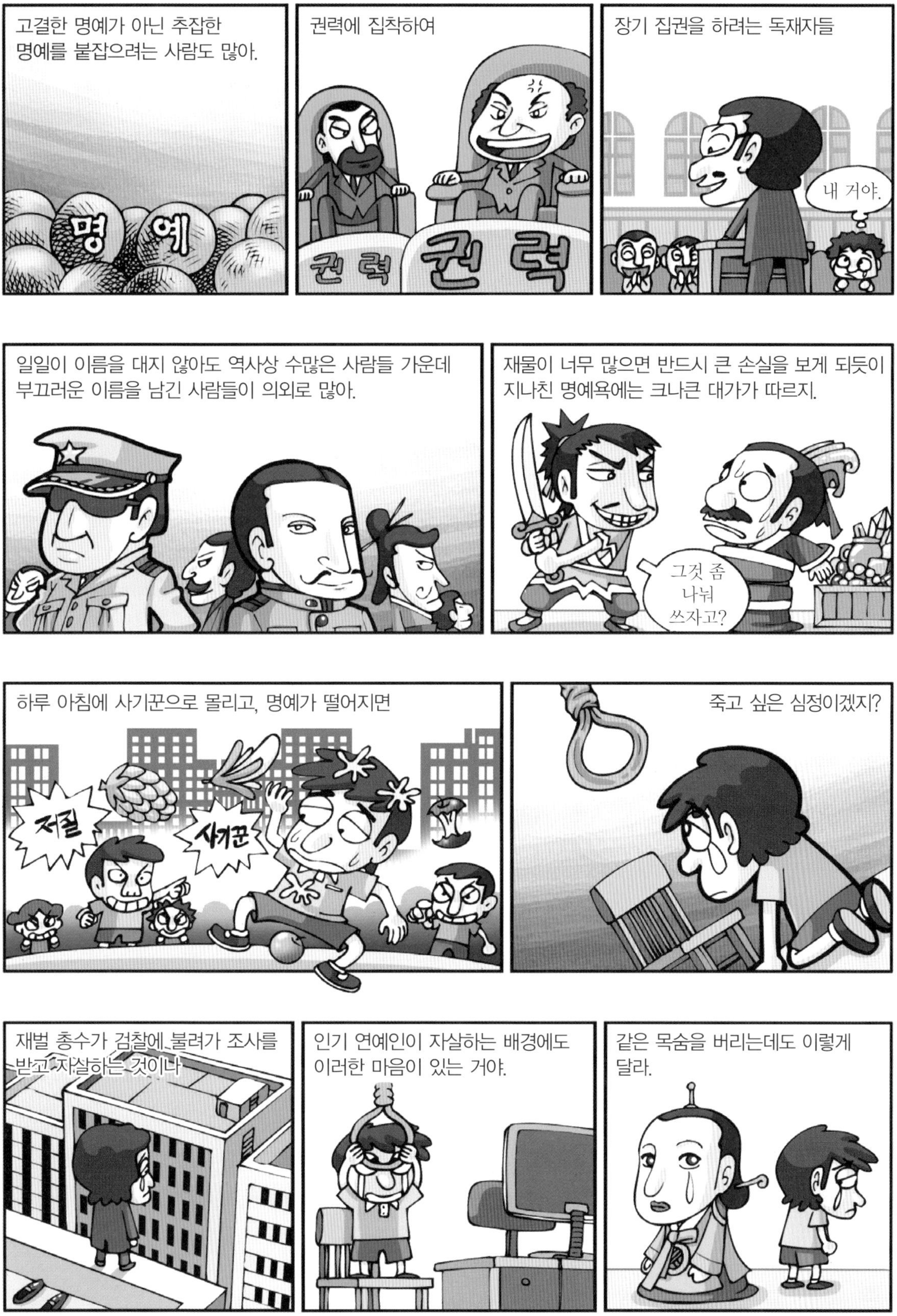
고결한 명예가 아닌 추잡한
명예를 붙잡으려는 사람도 많아.
명예
권력에 집착하여
권력 권력
장기 집권을 하려는 독재자들
내 거야.
일일이 이름을 대지 않아도 역사상 수많은 사람들 가운데
부끄러운 이름을 남긴 사람들이 의외로 많아.
재물이 너무 많으면 반드시 큰 손실을 보게 되듯이
지나친 명예욕에는 크나큰 대가가 따르지.
그것 좀 나눠 쓰자고?
하루 아침에 사기꾼으로 몰리고, 명예가 떨어지면
저질
사기꾼
죽고 싶은 심정이겠지?
재벌 총수가 검찰에 불려가 조사를
받고 자살하는 것이나
인기 연예인이 자살하는 배경에도
이러한 마음이 있는 거야.
같은 목숨을 버리는데도 이렇게
달라.

너무 일등만 하려 애를 쓰는 학생들도
마음이 불안과 긴장으로 가득 차면 그걸 오래 견딜 수 없게 되지.
불안
긴장
그 학생 뒤에는 성적이 조금만 떨어져도 야단치는 학부모가 있고
등수에 연연하고 높은 점수만 좋아하는 교사가 있겠지.
그런 사회에서 경쟁만을 부추기게 되면
그 점수로 대학이나 가겠어?
어린 학생들의 마음은 멍들고 상처받는 거야.
자연스럽게 오르고 내려가는 산 능선처럼
일등도 받아들이고 십 등도 받아들이는 게 자연의 이치에 맞는 거지.
중간고사 시험을 잘 못쳤다고 엄마한테 야단맞아
아파트 베란다에서 뛰어내려 자살한 학생도
이 이치를 몰라서 그래. 일등도 꼴찌와 다르지 않음을 알면 될 텐데.

부와 인기를 얻었는데도 행복하지 않다면 무엇 때문일까?
와
부
인기
와
와
지나친 욕심 때문이겠지?
이걸로는 부족해.
더 많이!
부
인기
자신의 행복이 영원히 지속되지 않는다고 비관한다면
행복
펑
해가 지고 밤이 오면 하루가 끝나는 것으로만 아는 짧은 생각 때문이지.
이젠 그만 내려가.
허무하게 하루가 끝나 버리다니!
해가 지면 달이 뜨고 아름다운 별들이 수를 놓는데도
낮의 해에만 집착하면 밤의 아름다움을 알 길이 없지.
!
해는 언제 뜨는 거야. 힝!
지금 이 순간 행복이 끝났다고 해서
헉!
행복
불행이 찾아와 괴롭힌다고 해서
불행
불행
행복
슬퍼하거나 괴로워할 필요가 없는 거야.
불행
불행
불행
불행
영원한 행복이 없듯이 영원한 불행도 없기 때문이야.
펑
펑
펑
성적이 오르거나 내려가도 그만, 재산이 많든 적든 상관하지 않는 사람이 도를 깨달은 사람이야.
100

장자는 높은 지위는 본래 삶과는 관계가 없다고 했어.
지위
다만 한때의 부속물에 불과하다고 했지.
지위
명예
삶
잡으려 하면 할수록 더욱 잡기 어렵고
지위
떨치려 하면 오히려 가까이 온다는 말을 하였지.
흥!
지위
그러므로 사람은 자신의 몸과 생명을 아낄 줄 알아야 되고
지나친 명리*를 좇지 말아야 해.
명예
이익
명예와 이익만을 추구하고 생명을 잃는다면, 그것은 돌이킬 수 없는 손해가 되지.
명예
아무리 높은 명예도, 모두 부러워하는 부유함도 자신이 없다면 소용없는 것이니 자신부터 찾는 것이 중요해.
지위
명예
그래서 노자는 '만족할 줄 알면 욕을 당하지 않고
여기도 경치 좋은데
꼭대기까지 올라가야지.
명예
知足不辱
적당할 때 멈출 줄 알면 위태롭지 않다.' 고 말했지.
뚝!
으악
명예
知止不殆

*명리(名利) – 명예와 이익을 아울러 이르는 말.

사람의 마음은 본래
비어 있고 고요하나
마음
자주 사리사욕에 가려져
사리사욕
사물을 바르게 관찰하지 못하고 영원함에서
벗어나게 돼.
영원
따라서 우리는 힘을 다해 마음을 비우고 잔잔한
상태로 회복시켜야 해.
그래야만 만물이 자라나고 순환되는 이치를
깨달을 수 있어.
도를 이해하는 사람은 모든 것을 포용하므로 광명정대하고 자연에 부합되어 결국 도에 부합되지.
도에 부합되어야만 영원할 수 있고, 죽을 때까지 위태롭지 않는 거야.
道

제자백가는 무엇일까?

어지러운 시대가 훌륭한 인재들을 낳다

춘추 · 전국 시대는 주나라의 봉건 제도가 무너지고 신분 질서도 흔들려 매우 혼란스러운 시대였습니다. 새로운 질서와 가치관을 원한 제후들은 자신의 세력을 펼치기 위해 똑똑한 인재들을 뽑아 새로운 체제를 확립하기 위해 많은 노력을 했습니다. 그래서 지혜롭고 실력 있는 사람들이 새로운 세력을 형성하여 귀족을 대신하는 지배층을 형성하게 되었습니다. 제후들은 자신의 정치 이론을 만드는 학자들을 관료로 삼아 부국강병책을 펴나가는 데 몰두했답니다.

제자백가가 위대한 사상을 남기다

이러한 시대적 배경은 여러 사상가들의 가르침을 존중하는 분위기를 만들었고, 사상가들은 자신들의 뜻을 글로 남겨 죽간(오늘날의 책으로, 당시에는 주로 대나무에 글을 써 죽간이라고 한다.)으로 만들어 널리 보급시켰습니다. 이 죽간은 경전이 되고, 죽간의 가르침에 뜻을 같이 하는 사람들이 모여 학파를 이루었습니다. 이러한 학파를 역사가들은 제자백가라고 불렀습니다. 제자백가에서 '자(子)'는 학자를 부르는 말이고, '가(家)'는 사상의 한 흐름을 이룬 학파를 부르는 말로 즉, '여러 학자와 수많은 학파'라는 뜻입니다. 뛰어난 학자들은 저마다 학파를 이루어 서로의 사상을 주장하며 많은 논쟁을 벌였는데, 이를 '백가쟁명'이라고 했습니다. 제자백가는 춘추 · 전국 시대가 남긴 위대한 문화 유산으로 중국 문화의 골격이 되어 현대에까지 큰 영향을 주고 있습니다. 또한 몇 명의 귀족들만이 독점하던 지식과 학문이 일반 백성들에게까지 확대되는 계기를 만들어 주었습니다.

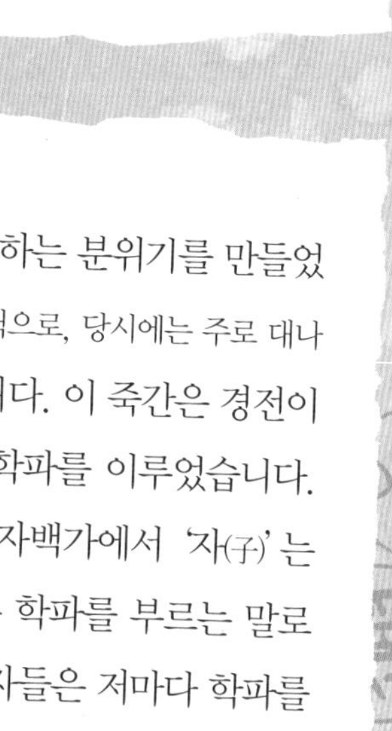

죽간으로 만든 《손자병법》 ▶

제자백가의 주요 사상

사상	대표 학자	내용
유가	공자 · 맹자 · 순자	효, 제, 인, 의, 예를 바탕으로 정치를 해야 한다고 주장
묵가	묵자	가족이나 국가의 경계를 초월한 겸애의 정신을 주장
법가	상앙 · 한비자	강력한 법의 지배, 군주 권력의 절대화로 부국강병을 실현할 것을 주장
도가	노자 · 장자	인위적인 예나 형식적인 도덕 · 제도에 반대하고, 무위 자연설에 의한 인간의 절대 자유와 평등 주장
병가	손자	전쟁의 승부를 가르는 데는 다섯 가지 요소가 있는데, 그것을 도(도의), 천(천시), 지(지리), 장(장수), 법(군사 제도)이라고 주장
음양가	추연	세상의 모든 사상은 토 · 목 · 금 · 화 · 수의 오행상승 원리에 의하여 일어난다고 주장
명가	공손룡	세상이 혼란스러운 것은 명(개념 · 표현 · 명목)과 실(내용 · 실체)의 불일치가 원인이므로, 명실합일하면 해결될 수 있다고 주장

道

자기성찰

제11장
부드러움이 강함을 이긴다
오늘날 사회는 각종 폭력으로 신음하고 있어.
끄윽-
강도나 조직 폭력배들의 폭력만 무서운 게 아니야.
뭐! 우리보다 무서운 게 있다고?
가정 폭력, 학교 폭력, 언어 폭력, 성 폭력,
학교내 따돌림이 심화 되고 있다!!
구타
가정내 아동 학대 폭력으로 몸살!!
정치적 테러, 강대국의 약소국 침략, 전쟁 등 폭력은 여러 형태가 있지.
무언가 원했는데 이뤄지지 않을 때 화나고 짜증난 적 있지?
공이 미쳤나? 자기 멋대로 튀네!
상대방이 내 요구를 들어주지 않을 때 상대를 꺾고 싶었지?
이놈의 공 가만두지 않겠다.

남을 지배하고자 하는 욕망
더 많이 가지려는 욕망
인정받고 싶은 욕구가 이루어지지 않을 때 사람들은 분노라는 거친 감정에 휩싸이게 된대.
바보!
분노
그렇다면 폭력은 욕망을 충족시키는 수단이자 욕망의 결과라는 것을 알 수 있겠지?
아얏!
퍽
감히 날 무시해!!
이러한 폭력은 강함을 앞세워
까불고 있어!
힝-
강함으로 상대를 벌벌 떨게 만들어.
다음부터 조심해!
알았어.
그런데 강도나 조폭들도 무서워하는 게 있지?
?
더 센 힘을 가진 군대나 경찰이지.
삐뽀 삐뽀
법을 수호하는 공권력 앞에서는 아무리 힘센 자도 꼼짝 할 수 없지.
그러나 노자는 공권력의 힘마저도 자연의 도가 아니라고 경고하고 있어.
아냐!
그럼 노자는 전쟁과 폭력에 대하여 어떻게 생각하였을까?

《도덕경》 31장을 통해 알아볼까?
무기란 상서롭지 못하여
군자의 물건이 아니다.
마지 못해 쓸 때에는 욕심 없이 담담하게 하고
이긴 것을 아름답지 못하게 여긴다.
이긴 것을 좋아하는 자는 살인을 즐기는 자이고
살인을 즐기는 자는 천하를 얻을 수 없다.
죽인 사람이 많을 때에는
슬퍼하고 측은한 마음으로 임하고
전쟁에서 이기면 상례로써 대해야 한다.

병기는 불길한 물건이어서 군자가 사용할 물건이 아니라는 거야.

만약 어쩔 수 없이 사용할 때는 담담한 자세로 해야 한다고 했어.

승리를 거두어도 자랑하지 말아야 한다는 뜻이지.
별것도 아니네!

자랑하면 곧 살인을 즐기는 꼴이 되어 결국 성공할 수 없다는 거야.

전쟁에 이겼다고 기뻐할 일이 아니라 살인을 많이 했으므로 상을 당한 것처럼 슬퍼해야 마땅하다는 거지.
죄송합니다.

노자는 무력이야말로 재앙을 가져다 주는 것이라고 하여
재앙
전쟁의 해로움을 지적하면서 전쟁을 반대했어.
반전
전쟁
부득이 전쟁에 임해야 할 때는 반드시 상례로 대하고 눈물로 슬퍼해야 한다고 했는데
흑흑흑!
이것은 지극한 휴머니즘*이라 해야겠지.
humanism
노자는 매우 인자한 사람이었을 것 같아.
노자가 살던 춘추 · 전국 시대는 무력에 의한 세계 제패를 목표로 하는 제후들과 거기에 충성하는 신하들로 가득한 시절이었지.

*휴머니즘(humanism) – 인도주의.

나라를 부유하게 만들고 강한 군대를 양성하는 부국강병책이 가장 큰 관심이었어.
이때에 노자는 힘과 폭력을 반대하고 부드러움을 강조했으니 선지자라고 할 수 있지.
폭력
무력
부드러움
폭력, 무력 퇴장!
군대가 머물렀던 곳은 논밭이 황폐해지고 큰 전쟁 뒤에는 반드시 흉년이 들었어.

백성들은 초근목피*로 끼니를 겨우 이어가는
참혹한 모습을 지켜본 선각자 노자는 출세의 공을 다투는 게 얼마나 잔인하고 부당한 것인지 깨닫게 된 거지.
이 자리는 내꺼야!
그만 좀 싸우고 백성을 좀봐!!

*초근목피(草根木皮) – 풀뿌리와 나무껍질이라는 뜻으로, 맛이나 영양가가 없는 거친 음식.

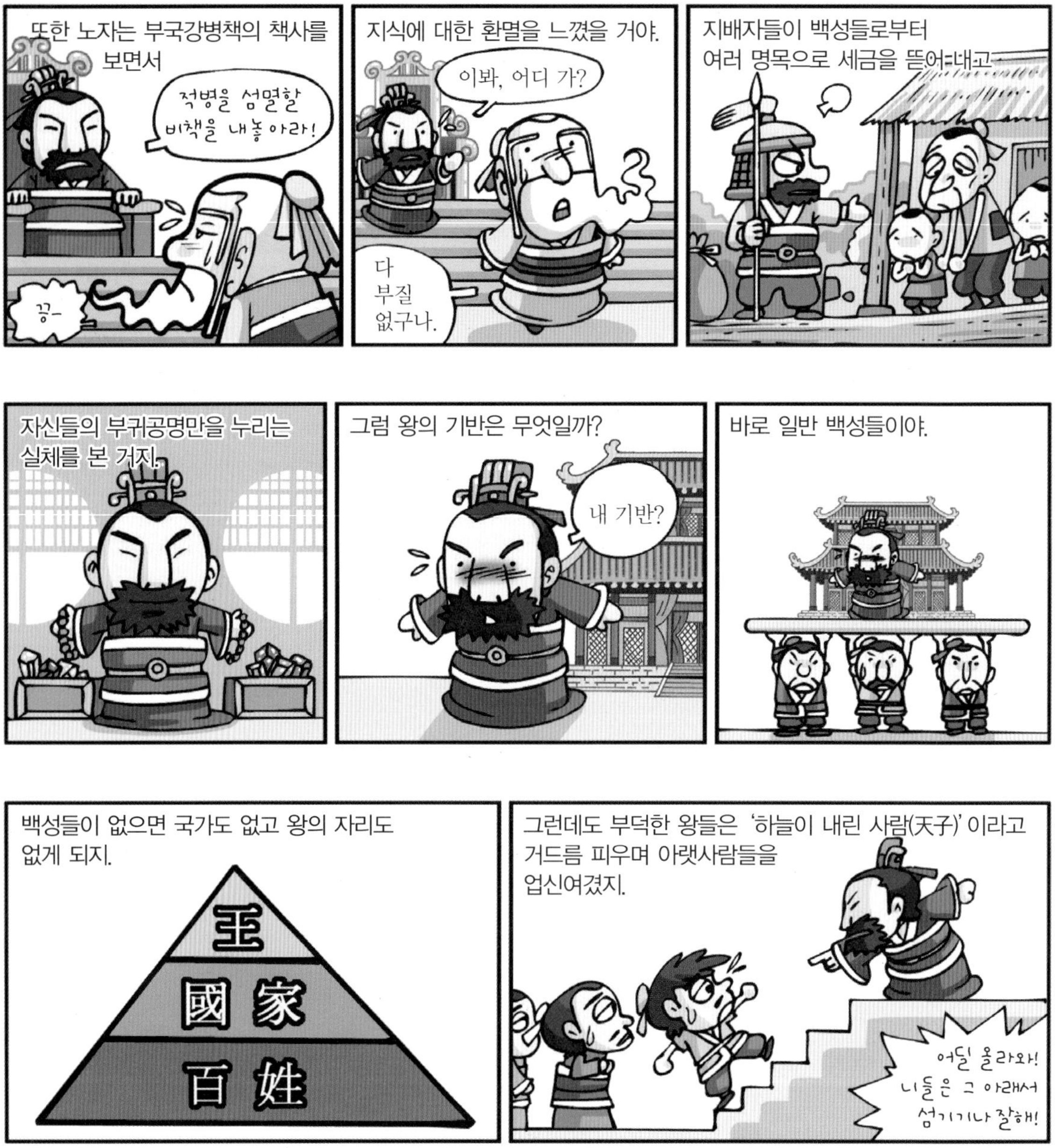
또한 노자는 부국강병책의 책사를 보면서
적병을 섬멸할 비책을 내놓아라!
꿍–
지식에 대한 환멸을 느꼈을 거야.
이봐, 어디 가?
다 부질 없구나.
지배자들이 백성들로부터 여러 명목으로 세금을 뜯어내고
자신들의 부귀공명만을 누리는 실체를 본 거지.
그럼 왕의 기반은 무엇일까?
내 기반?
바로 일반 백성들이야.
백성들이 없으면 국가도 없고 왕의 자리도 없게 되지.
王
國家
百姓
그런데도 부덕한 왕들은 '하늘이 내린 사람(天子)'이라고 거드름 피우며 아랫사람들을 업신여겼지.
어딜 올라와! 니들은 그 아래서 섬기기나 잘해!

역사상 훌륭한 왕들은 개인적인 욕심이나 신념으로 아랫사람을 다스리지 않고
욕심
뻥
백성들의 마음을 살펴 따랐지.
백성의 길
백성의 길
백성을 하늘로 생각하고 그들의 소리를 무섭게 안 임금은
백성
성군으로 존경 받았고
백성 위에 군림하고 호령한 임금은 폭군으로 원성이 자자하였지.
39장에 높음은 낮음을 근본으로 한다는 내용이 있어
높음
아무리 높은 곳이라도 낮은 곳부터 시작해.
낮음
천자는 매우 높은 자가 아니라 가장 낮은 자야.
왕이 스스로를 부를 때 과인이라고 하는 걸 알지?
寡人
부족한 사람, 덕이 없는 사람이란 뜻이지.
덕
난 없네!!
노자의 이야기를 들어볼까? 그 옛날 하나를 얻은 것이 이러했다.
꿍-
하늘이 하나를 얻자 청명하였고
땅이 하나를 얻자 안정을 이루었다.

신이 하나를 얻자 신령함이 있었고,
골짜기가 하나를 얻자 물이 가득 찼다.
만물이 하나를 얻자 생명을 이루었고
제후와 왕이 하나를 얻자 천하가 안정되었다.
이것은 모두 하나를 얻음으로써 있게 된 것이다.
一
존귀함은 천함을 근본으로 삼아야 하고, 높음은 낮음을 근본으로 삼아야 한다.
귀함
높음
천함
낮음
그래서 왕은 스스로를 고(孤)와 과(寡)와 불곡(不穀)이라고 칭한다.
孤
不穀
寡
여기에서 하나는 도를 일컫는다는 걸 알 수 있겠지?
一
道
천자와 왕이 도를 배우고 깨달으라는 뜻이지.
道
道
이상적인 통치자는 군림이 아니라 섬김으로 다스린다는 것을 알겠지?
어디로 모실까요?
목적지를 말씀해 주십시오.
百姓
왕이 스스로를 낮추는 '과인' 이란 표현도 《도덕경》에서 비롯되었음을 알 수 있어.
도덕경
自謂孤寡不穀

빛나는 다이아몬드처럼
주목 받을 것이 아니라
빛이 없는 돌멩이처럼
몸가짐을 가지는 사람이라야
훌륭한 통치자라 할 수 있어.
하지만 대부분의 통치자들은 힘으로
가혹한 정치를 하고
있었으니
이를 본 노자가 74장에서 다음과 같은 비판을 하게 된 거야.
백성들이 항상 죽음을 두려워하지 않으면
어찌 죽음으로써 백성을 떨게 할 수 있으랴.
사람들을 죽음으로 위협하는 자를 내가 죽이면
누가 감히 그런 짓을 하겠는가?
형벌이 너무 가혹하여 죽음이
많아지면
백성들은 오히려 죽음을 두려워하지
않고 반발할 거야.
그래
죽여라 죽여!!
죽여
봐!
죽음보다 삶이 더 고통스럽고
참혹하다면
배고파!
역시 죽을 각오로 저항하겠지?
당신이
가진 곡식을
내놔!
감히
국, 국법이
무섭지
않느냐?
이렇게 되면 아무리 무서운 법령이라 한들
힘을 잃겠지.
흥!
국법은
무슨 국법
거기 서!
이러지 마,
말로 하자고,
말!!

춘추 · 전국 시대에는 부국강병에만 힘써
마구잡이로 세금을 거두고
노역*을 부과하여 백성들이 굶어 죽는 일이 많았어.

*노역 – 병역 외에 각종 공사장에 뽑혀 가서 노동해야 하는 의무.

백성들이 굶주리는 것은 세금이 너무 많았기 때문이었어.
세금
백성들이 쉽게 죽음으로 몰리는 것은 지도자가 살기를 원하기 때문이었지.
내 앞에서 창칼을 막아라.
'무릇 억지로 살려고 하지 않는 사람은 삶을 귀하게 여기는 자보다 현명하다.'는 《도덕경》 75장의 말도 이렇게 생긴 거야.
夫唯無以生爲者
是賢於貴生

지금도 아프리카 곳곳에서는 아이들이 굶어 죽는 나라가 많은데, 빈부 격차가 심한 나라는 예나 지금이나 같은 상황이 벌어지고 있어.
또한 노자는 57장에서 '고기를 잡는 그물의 종류가 많을수록 고기들은 여기저기 도망친다.
사람이 지혜와 계략이 많아질수록 사기나 속임수의 수법들이 많아질 것이다.'라고 말했어.
전화금융 사기
인터넷 사기
금융 사기
방송 사기

여러 법령으로 백성들을 규제하고 못살게 하는 정치를 비판하고 있는 거야.
법령
뭐야?
그것으로 뭘 하려는 거요?
세상에 금기사항이 많으면 백성이 가난해지고 법령이 많으면 온갖 도적이 나타난다고 했어.
법령
법규
법령
이 말 역시 권력의 횡포를 비판하고 형벌로 백성을 다스리는 것을 반대한다는 뜻이지.
어휴, 뜨거워!
노자가 말한 무위는 할 일 없는 무책임이 아니라 백성들을 여러 가지로 들볶는 행위를 멈추라는 교훈이지.
무위
자연 그대로 놔두라는 무위는 당시의 정치 상황을 해결하고자 하는 노자의 정치 철학이었지.
무위
그러나 필요한 법도 없애라는 게 아니라
부셔 버리게 비켜 주세요.
법
법령을 남발하여 백성을 죽음으로 몰아넣지 말라고 강조한 것이지.
훌륭한 목수는 나무의 결을 따라 자연스럽게 나무를 깎고 대패질하지만
슥삭슥삭
서툰 목수는 결을 따르지 않고 마음대로 하여 마침내 손을 다치게 되지.
?

비록 힘을 가졌다고 하여 마음대로 행하면
화가 반드시 되돌아오게 된다는 거야.
백성을 존중하여 백성의 뜻에 따르라는 노자의 교훈이지.
어디로 모실까요?
노자는 승리자보다 패자의 입장을
권력이나 지위가 높은 자보다 힘없는 국민들 입장에 서서 바라보지.
지위
내려오시오.
부유하거나 떵떵거리거나 거들먹거리는 자들을 귀하게 보지 않고
속물적인 욕망의 포로로 가엽게 여기는 거야.
욕망
이는 곧 국민에 의해 선출된 지도자가 국민 여론에 귀 기울이고
여론
국민을 존중하며 통치해야 하는 민주주의를 제창한 거지.
민주주의
그러면 폭력을 어떻게 다스릴 것인가?
폭력
노자는 역설의 달인답게 폭력은 부드러움으로 다스리라고 말했어.
가장 부드러운 것이 가장 굳센 것을 부린다는 거야.

천하에서 가장 부드러운 것이 가장 단단한 것을 부릴 수 있다.
무형의 힘은 틈이 없는 물체를 뚫고 들어간다.
바로 이것으로써 무위의 유익함을 안다.
무언의 가르침과 무위의 장점은 천하에서 비교할 수 없다.
(43장)
가장 유연한 것이 가장 단단한 것을 부릴 수가 있지.
콰아아아...
물은 부드럽지만, 단단한 땅속으로 스며들지.
쏴아아아...
또한 바닷물은 바위를 뚫어 동굴을 만들고
날카로운 돌을 둥글게 만들어 버리곤 하지.
바닷가에 가면 자갈들이 많아.
이렇게 물을 닮은 통치자는 목적을 이루고자 하나 억지로 하지는 않아.
목적
목적을 이루고도 교만하지 않으며 목적을 이루되 마지못해 한다고 말해.
목적
무력은 본디 도와 어울리지 않기 때문이야.
道
빡!!
폭력
만일 써야 한다면 최소로 해야 하는 거야.
흐흐흐~ 그것으로 되겠어?
충분해!

노자는 또 46장에서 이렇게 말했어.
천하에 도가 있을 때는
모두 만족할 줄 알고
적당히 멈출 줄 알며,
나라끼리도 화평하게 지낸다.
전쟁이 자취를 감추면
군마는 논밭을 경작하는 데 쓰인다.
그러나 천하에 도가 사라지면
사람들은 명예와 이익을 다툰다.
전쟁이 끊이지 않고,
군마는 전쟁터에서 새끼를 낳는다.
천하의 재앙은 만족할 줄 모르는 것보다 더 큰 것이 없고
와구와구
노
위
진
연
천하의 죄악은 탐욕보다 더 큰 것이 없다는 말이야.
道
퍽
켁!
그만 좀 먹고 백성을 좀 보라고!
진
노
위
사람들은 늘 불만에 가득 차 있지.
뭘봐
그래서 늘 행복하지 않다고 투덜대고
깡
뭐야! 이 깡통은?
그것도 자신 때문이 아니라 남의 탓이라면서 말이야.
이 깡통 네가 찬 거?
너 뭐야? 자해 공갈단 이냐?

옛말에 '나는 오직 만족할 줄 안다.'는 말이 있어.
?
吾唯知足
툭!
만족할 줄 아는 것만이 영원한 만족이라는 뜻이야.
吾唯知足
모든 사람이 만족할 줄 알면 천하가 평화로워질 거야.
재앙은 족함을 알지 못하는 것보다 더 큰 것이 없고, 허물은 얻고자 하는 것보다 더 큰 것이 없으므로
수확량이 왜 이리 적은 거야?
만족할 줄을 아는 넉넉함은 항상 풍족하다고 말하고 있는 거야.
이것 좀 드세요.
?
전쟁을 보면 확실히 알 수 있어.
대부분 전쟁은 침략자의 끝없는 야심과 만족할 줄 모르는 탐욕 때문에 일어나지.
전국7웅
전쟁
연
조
제
진
남의 나라를 침략하여 무고한 목숨을 해치고 엄청난 재앙을 가져다주지.
노자는 통치자가 탐욕으로 인해 백성 전체에게 해를 끼치는 것을 경계하며
탐욕
통치자는 담담하게 본분을 지키고 침략의 욕심을 자제할 것을 경고해.
道
퍽
탐욕
그만 하라면 그만 좀 해!

무력과 분노는 침략 행위이며, 폭력의 표현이라고 했어.
펑!
분노
무력
그러므로 사람으로 하여금 무력도 쓰지 말고 성내지도 말아야 한다고 했어.
분노
무력
툭!
물을 닮으라는 노자의 말을 다시 기억해 보길 바라.
물은 가로막히면 다투지 않고 돌아가지. 비켜선다는 것은 보통 사람은 실천하기 어렵지.
무술에서도 고수는 강한 상대의 힘과 맞부딪쳐서 자신의 힘을 쓸데없이 쓰지 않지.
흥!
태극권은 상대의 힘을 이용한다.
욱!
힘과 힘이 맞서면 칼과 칼이 부딪치는 것처럼 불꽃이 튀지.
챙
챙
바다가 모든 물의 왕인 것은 모든 것을 받아들이는 낮은 곳에 있기 때문이야.
바다
이제 마음을 낮추는 것이 다툼을 막는 길이라는 걸 알겠지?
가르침, 감사 합니다.
즉, 에고(ego)를 없애면 되겠구나. 그럼 에고란 뭘까?
ego
내가 잘났다는 생각, 나만을 위하려는 마음이 에고야.
이기심
자만
자존심
교만
힘
한마디로 이기심을 없애면 마음이 낮아지겠지.
이기심
자만
교만

통치자가 국민들이 권세를 주었다는 사실을 망각하고 함부로 날뛴다면 국민은 고통을 겪게 돼.
권세
그것은 통치자가 자신이 최고라는 생각에 꽉 차 있기 때문이야. 엘리트 의식, 권위주의가 문제야.
egoism
에고를 없애고 남과 다투지 않으면 자연의 도리에 부합되는 거야.
으악!
egoism
그래서 노자는 77장에서 이렇게 말했지. '하늘의 도는 높은 것은 억누르고 낮은 것은 들어올리며 남는 것은 덜어 내고 모자라는 것은 보탠다.'
道
낮음
높음
자연의 도는 욕심이 없어 자기 것으로만 만들려는 마음이 없어.
그러나 못된 폭력에는 용서하지 않는 준엄함도 있지.
100원에 한 대씩이다.
이제 진짜 없어요.
불의의 폭력마저 피하고 다투지 말라는 것은 아니야.
빵
남으면 덜어서 나눌 줄 아는 것도 자연과 맞는 삶이지.
이것 좀 드세요.
감사합니다.
그런데 사람들은 나누기는커녕 모자라는 사람에게서 빼앗아 자신의 욕심을 채우잖아?
네가 가진 한 개를 내놓아라. 부족한 한 개를 채워야겠다.
안 돼요! 전 이거 하나뿐이에요.

벼슬을 탐하는 관리들은 백성들의 가난한 살림을 짜내어 고위 관리들에게 바쳐.
가진 거 다 내 놔!
잘 부탁드립니다.
하하하 알겠소!
사람들이 하늘을 거스르는 게 이와 같아 도와 어긋난다는 거야.
콰르릉
엄마야!
누가 능히 남는 것으로 천하를 봉양할 것인가?
오직 도 있는 자뿐이다.
그러므로 성인은 이루고도 자랑하는 법이 없고
공을 이루고도 거기에 머물지 않고
현명함을 드러내려 하지도 않는다.
(77장)
분노의 원인은 불만족, 죄악의 원인은 탐욕이며
心 + 不滿 = 憤怒
心 + 貪慾 = 罪惡
다툼의 원인은 교만이라는 게 《도덕경》의 일관된 가르침이야.
교만
강하고 포악한 폭력에 대한 노자의 처방은 자연의 도로 돌아가는 거지.
도덕경
빽!
강한 용기보다 자애롭게 감싸고 받아들이는 부드러운 용기가 더 훌륭하지.
부드러운 용기
강한 용기
나약한 용기
1
2
3
자기를 내세우지 않는 낮은 겸손함은 상대를 존중하는 높임이지.
너 키가 크구나!
진짜?
그러면서도 조금도 흔적을 남기지 않고 머물지 않지.
강한 용기
나약한 용기
1
2
3

모두 자신의 욕심을 비운 무아를 실현하는 것이라고 할 수 있어.
욕심 욕심 욕심
'나라는 생각'이 사라지면 진정한 사랑과 평화가 찾아오니
나 나
펑 펑
굳이 시비를 따지거나 다투지 말라고 하고 있어.
공룡 알이 틀림없소.
타조 알이 분명하오.
저절로 옳음이 드러나게 된다는 거지.
무위
헉! 헉!
이기려 하지 않아도 이기게 되니, 다툼 없이 승리하는 것(부전승)을 노래한 거야.
상대 선수가 없으니 부전승 입니다.
용맹을 내세우면 죽고, 그렇지 않으면 산다.
하늘의 도는 다투지 않아도 잘 이기며,
말하지 않아도 잘 대답하며,
부르지 않아도 스스로 오며,
느리게 해도 잘 계획한다.
하늘의 그물은 넓고 성기어도 놓치는 일이 없다.
(73장)
이제 《도덕경》이 말하는 폭력의 해법을 알겠지?

제12장
이 세상에서 가장 귀한 보배
道

살아가는 데 있어서 가장 귀한 것은 무엇일까? 돈, 신앙, 권력, 재능, 학문? 사람마다 추구하는 가치관에 따라 달리 이야기하지.
권력
성경
신앙

노자는 도를 가장 귀중한 자리에 놓았어.
道

착한 사람이 도를 얻으면 영원하다고 하였지.
道

돈, 명예, 출세 등은 영원한 행복을 보장하지 않고

오히려 시기와 갈등의 적이 된다는 거지.

도는 모든 사람의 보배라고 하는 노자의 말을 《도덕경》 62장에서 찾아볼까?
위도(爲道) 62장
보배
도는 만물의 그윽한 자리이니 선한 사람의 보배이며
道
선하지 않는 사람에겐 보호막이다.
道
폭력은 안 돼요.
아름다운 말도 유익함을 주고
하하하!
존귀한 행위도 사람들에게 좋은 영향을 미치거늘
하물며 사람을 함부로 버릴 수 있겠는가?
으악!
으악!
그러므로 천자와 삼공*을 임명할 때 보물 가득한 수레보다
흥!
꿇어앉아 이 도를 바치는 것보다 못하다.
道
*삼공(三公) – 옛 중국의 관직명으로, 천자에 버금가는 최고의 관직.
도는 천하에서 가장 귀함이 된다.
道

6장에 '비우기를 지극히 하고, 가운데 머물기를 독실하게 하면, 만물이 바야흐로 일어나고, 다시 만물은 근본으로 돌아감을 본다.' 고 하였는데, 근본이 바로 도라는 건 기억하고 있겠지?
비움을 지극히 한다는 것은 욕심을 버리고 마음을 비워 자연의 성품으로 돌아간다는 뜻이야.
욕심
욕심
욕심
욕심
여러 생각과 욕심으로 가득 찬 마음을 비워서 본래의 자연스럽고 소박한 마음을 회복하는 것이 중요하다고 이야기하지.
또한 가운데 머문다는 것은 태풍의 눈 중앙처럼 고요함을 지킨다는 말이지.
고요한 가운데에서 태풍과 같은 현상이 발생하는 거지.
태풍에 머물면 날려가 형체도 사라져 버리지만
가운데 머물면 만물이 생성되었다가 근원으로 돌아옴을 관찰할 수 있어.
33장에서 노자는 본래의 자기 자신을 아는 것을 밝음이라 하였어.
33장 변덕 (辯德)
본래의 자신을 잃어버리면 집을 떠난 아이처럼 길을 잃고 헤매지.

32장에도 '도는 영원히 이름이 없고 순박하다.
성덕(聖德)
제후나 왕들이 그것을 간직하고 지킬 수 있다면 천하 만물이 저절로 손님으로 올 것이다.
천지가 서로 조화되어 단비를 내리고
쏴아아
백성은 그것을 명하지 않아도 스스로 균형을 이룰 것이다.' 라고 하였지.
道
이와 같이 노자는 도를 가장 귀하게 여겼는데, 67장에서는 세 가지 덕성으로 나누어 설명했어.
道
나에게는 세 가지 보물이 있어
그것을 소중히 간직하고 있다.
첫째는 인자함이요,
둘째는 소박함이요,
셋째는 감히 천하의 앞이 되지 않음이다.
인자하기 때문에 용감할 수 있고,
검소하기 때문에 여유가 있으며,
남보다 앞서지 않기 때문에
영도자가 되는 것이다.
仁慈
儉約
謙遜

노자의 첫 번째 보물은 인자함이야.
仁慈
인자함을 버리고 용감해지려고 하고
慈悲
휙!
전장에 나가는 자에게 자비란 필요 없다.
소박함을 버리고 넓어지려 하고
나를 따르는 자는 부를 누리게 해 주겠소.
물러섬을 버리고 앞서려고 한다면 결국 죽을 것이라고 했어.
나를 따르… 윽!
무릇 인자로 싸우면 이기고, 그것으로 지키면 견고하다고 했어.
군주가 진정 어질다면 백성도 자연스럽게 군주를 따를 것입니다.
인자한 사람은 하늘도 장차 도울 것이니, 이는 인자함으로 스스로를 지키기 때문이지.
仁者無敵
맹자도 인자무적이란 말을 하였지.
노자는 전쟁의 참혹함을 직접 보고 사람과 사람 사이에 사랑이 부족함을 절실히 느꼈어.
그렇기 때문에 인자를 강조한 거야.
仁慈
두 번째 보물은 소박함이야.
儉約
소박하고 검소한 생활을 강조한 것은 굶어 죽는 사람들이 너무 많은데
앙~ 배고파!
일부 사람들이 자신들만 잘 살려는 욕심을 봤기 때문이지.
백성은 굶어 죽는데 산해진미*라니 말도 안 돼요.
컥!

*산해진미(山海珍味) – 산과 바다에서 나는 온갖 진귀한 물건으로 차린 맛이 좋은 음식.

남으면 나누고, 부족하면 덜어 주는 여유 있는 마음은 자연의 도, 곧 천도라는 거지.
많이 드세요.
그래서 노자는 53장에 '조정은 거대한 누각들로 으리으리하나
논밭은 잡초가 무성하고 곳간은 텅 비었다.
그런데도 한쪽에서는 비단옷 입고 번득이는 칼을 차고 기름진 음식에 물릴 지경이고 재산은 쓰고도 남아도니
이것이야말로 도둑이라 할 수 있다. 이를 어찌 도라 할 수 있겠는가.' 라고 했어.
도
세 번째 보물은 겸손함이야.
謙遜
남보다 앞서고자 하는 마음이 평화를 깨뜨리고 다툼의 발단이 되곤 하지.
노자는 다투지 않는 덕이 도의 극치라고 말했어.
이 원리는 전쟁에 활용할 수도 있어.
싸우지 않고 이기는 전략이 가장 좋은 전략이지 않겠니?
겸손
툭!

그래서 69장에 내가 주동이 되지 말고 피동이 돼라.
현용(玄用)
감히 앞으로 한 치도 나가지 말고 차라리 한 자를 물러나라.
이것이 바로 보이지 않는 대군의 행진이고
보이지 않는 무서운 팔뚝의 휘두름이며
겸손
적국이 수없이 많아도 없는 듯 나아감이고
무기를 잡지 않아도 날카로운 무기를 잡음과 같다.
화의 가장 큰 원인은 적을 얕보는 것이며
적을 얕보면 나의 세 가지 보물을 잃게 된다.
儉約
仁慈
그러므로 적과 맞설 때에도 사랑하는 마음(인자함)을 가지면 승리를 거둔다고 하였어.
우리 내면에는 본래 인자함과 현명함이 있어 그것을 발견하여 키우는 게 필요해.
현명
인자

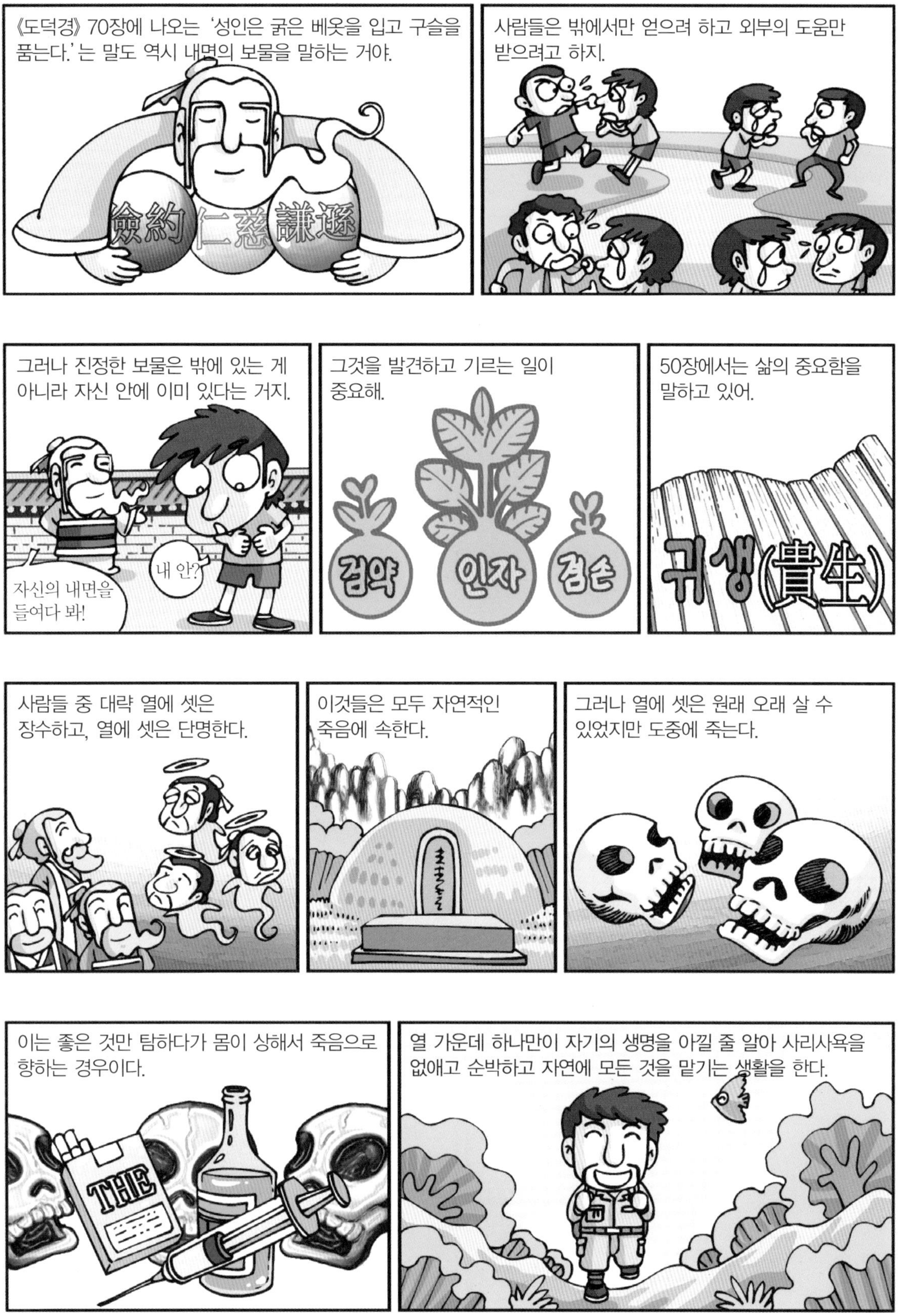
《도덕경》 70장에 나오는 '성인은 굵은 베옷을 입고 구슬을 품는다.' 는 말도 역시 내면의 보물을 말하는 거야.
儉約 仁慈 謙遜
사람들은 밖에서만 얻으려 하고 외부의 도움만 받으려고 하지.
그러나 진정한 보물은 밖에 있는 게 아니라 자신 안에 이미 있다는 거지.
자신의 내면을 들여다 봐!
내 안?
그것을 발견하고 기르는 일이 중요해.
검약
인자
겸손
50장에서는 삶의 중요함을 말하고 있어.
귀생(貴生)
사람들 중 대략 열에 셋은 장수하고, 열에 셋은 단명한다.
이것들은 모두 자연적인 죽음에 속한다.
그러나 열에 셋은 원래 오래 살 수 있었지만 도중에 죽는다.
이는 좋은 것만 탐하다가 몸이 상해서 죽음으로 향하는 경우이다.
THE
열 가운데 하나만이 자기의 생명을 아낄 줄 알아 사리사욕을 없애고 순박하고 자연에 모든 것을 맡기는 생활을 한다.

노자가 욕심을 버리고 총명함을 경계하는 말을 자주 하는 것은 사람들이 진실되고 순박하기를 바라고
퍽
욕심
총명
지도자 또한 진실되고 소박하길 바라는 거야.
仁慈
도에 충실하여 자연스럽게 살면 자기 자신과 가정이 건강해지고
나아가 국가와 세계가 평화로워진다고 말했어.
노자는 또한 29장에서 '나는 천하를 차지하려고 애쓴 이들이 끝내 그것을 얻지 못함만 보았다. 천하는 신묘한 것이어서 인위적으로 얻어지지 않는다.
인위적으로 도모하는 자는 패하고, 인위적으로 그것을 얻는 자는 잃는다.
이 배는 내 거야.
흥! 무슨 소리.
사치
교만
사치
사치
天下
그러므로 성인은 극단적인 것을 버리고 사치함을 버리고 교만함을 버려야 한다.' 고 했지.
배가 가라앉는다.
다 버려! 다!
꼬륵 꼬륵
교만
사치
교만
사치
사치
사치
교만
교만

이것이 가운데를 지키는 것으로
道
현명함과 지혜를 버리면 백성들에게 큰 이득이 생겨.
德
이것은 바로 통치자가 소박하고 욕심 없는 자세, 즉 꾸밈없는 순박함을 지녀야 한다는 거야.
노자처럼 문명을 겉치레라고 말한 사람이 있는데, 바로 프랑스 사상가 루소야.
자연으로 돌아가라!
루소는 자연 속에서 인간 본연의 모습을 찾아야 한다고 말했어.
법령으로 백성들을 묶고 가혹한 세금으로 착취한다면
법령
어서 세금을 내!
마치 폭풍과 폭우와 같은 포악한 정치가 될 것이며
법령
포악한 정치는 오래가지 못한다고 노자는 경고하고 있어.
그만 둬!
또 통치자가 진실과 믿음이 부족하면 백성들은 그를 믿지 않는다고 했어.
흥!
흥!
흥!

도는 언제나 하는 것이 없지만
이루지 못하는 것이 없다.
제후와 왕이 이를 지킬 수 있다면,
만물이 스스로 생성되고 성장할 것이다.
탐욕이 일어나면,
내 장차 이름도 없는 나뭇등걸로
굴복시킬 것이다.
이름도 없는 나뭇등걸, 즉 순박한 도는
무릇 탐욕을 없앤다.
욕심이 없으면 마음이 고요해지고,
천하가 안정될 것이다.
(37장)
노자가 제시하는 이상적인 정치는 무위로 자연에 맡기고 간섭하지 않는 것이었어.
사람들이 스스로 가지고 있는 덕성을 발견하여 스스로 완성해 가는 것을 중시하였지.
동시에 참되고 순박함을 양성하고 욕심은 없애야 한다는 거지.
욕심
욕심
'이상적인 정치는 간섭하지 않는다.' 라는 노자의 말은 정치인들에게만 적용되는 것이 아니야.
기업가, 교사, 학부모 등 모든 지도자들이 새겨들어야 하지.
도덕경

무위 사상의 바탕은 지배하려 들지 않는 마음
소유욕
식욕
물욕
無爲
명예욕
성욕
욕심을 잠재우는 것임을 놓쳐서는 안 돼.
無爲
노자의 무위에 대해 더 깊은 이해가 필요하다면 63장을 읽어 볼까?
무위를 실천하고
무사로 일하고,
무미를 맛으로 한다.
큰 것을 작게 하고 많은 것을 적게 하며
어려운 일은 쉬울 때 도모하고
큰일은 미세할 때 처리한다.
무릇 쉽게 허락하면 필시 미덥지 못하고
쉬운 일이 많으면 반드시 어려운 일이 많아진다.
그러므로 성인은 쉬운 일을 어렵게 여기니
그런 까닭에 끝내는 어려운 일이 없다.
어려운 일은 쉬울 때 도모하고,
큰일은 작을 때 해결해야 쉽지.
네덜란드에서 한 소년이 손으로
둑을 막아 나라를 지킨 이야기가
있지?
이 소년이 막지 않았다면
둑은 무너지고 수천 대의 트럭이
필요하지 않았을까?

세상의 어려운 일은 반드시 쉬운 데서 일어나고
세상의 큰 일은 반드시 작은 데서 일어난다는 거지.
작은 일을 대수롭지 않게 생각하면 나중에 큰일이 되는 수가 많기 때문이야.
작은 불씨 때문에 큰 화재가 발생한다는 것을 모르나?
무릇 가볍게 승낙하는 것은 믿음이 적고
저 돈 좀….
아! 돈을 빌리러 오셨구먼!
쉬운 일이 많으면 반드시 어려움이 따른다.
100당 이자는 50인데 괜찮겠소?
이자가 반이라고요!
성인은 쉽고 작은 일을 오히려 어렵게 대해서 마침내 어려움이 없다는 거야.
티끌 모아 태산이라고 나를 이용해.
어려운 일을 처리하는 데에서 반드시 쉬운 일부터 시작하라고 일깨우지.
도덕은행
성인은 한 걸음 한 걸음을 소중히 여기니 결코 단숨에 큰일을 이루려 하지 않는다고 했어.
계단을 오르는데 아랫 계단을 밟지 않고 오를 순 없겠지.
오히려 담담하여 자신의 이익에 매달리지 않고
원한
마음
원한을 원한으로 갚지 않고, 원수도 용서하고 도리어 덕으로 갚는다고 했어.
마음
원한마저 닦아 내어 마음을 비우는 것, 그것이 무위란다.
노자의 무위에는 위대한 덕을 포함하는 것임을 알 수 있어.
德
無爲

또한 노자는 54장에서 이렇게 말했어.
자신을 닦으면 그 덕이 참되고
가정에서 닦으면 그 덕이 남음이 있고
마을에서 닦으면 그 덕이 길고
나라에서 닦으면 그 덕이 풍부해지고
천하가 닦으면 그 덕이 두루두루 미친다.
그러므로 나 자신을 가지고 나를 관찰해야 하고
천하를 가지고 천하를 관찰해야 한다.

세상을 잘 다스리려면 우선 자기 자신을 잘 성찰하고 도를 잘 닦는 게 기본임을 말하는 거야.
자기성찰

도란 우주 자연의 근본 이치이자 세상을 살아가는 방법의 기본임을 알 수 있겠지?
道

이러한 내용은 학문과 정치를 가릴 것 없이 오늘을 사는 모든 이들에게 귀감이 되는 것들로 깊이 되새겨야 하지.
도덕경

또한 노자는 59장에서 다음과 같이 말했어.
사람을 다스리고 하늘을 섬김에 아끼지(嗇) 말아라.
덕을 거듭 쌓으면 극복 못할 게 없고
그 한계를 알 수 없을 정도가 되면 국가를 소유할 수 있다.
나라의 근본이 있으면 장구할 수 있으니
이를 일러 뿌리가 깊고 바탕이 단단하여
길이 오래 사는 도라 한다.

아낀다는 것은 절약하고 쌓는다는 뜻으로, 16장의 '자신의 마음을 지극히 비운다.'는 말과 같아.
덕
욕심
마음
덕이 없으니
마음이 기우네?

비우는 것과 쌓는 것, 이렇게 상반된 말이 노자에게는 서로 통하는 거지.
욕심
덕
마음

노자의 주석가로 유명한 왕필은 '농사짓는 사람이 밭을 가꾸는 것을 보면 잡초를 힘써 제거하고 밭을 고른다.
잡초를
잘 골라야
곡식이 잘 자라지.

위로 천명을 받들고 백성을 편안케 하는 일이 이보다 나은 것이 없다.'고 풀이하지.
농부의
마음이 하늘의
뜻과 다르지
않구나.

《맹자》에서 '그 마음의 본성을 아는 자는 하늘을 아는 것이니
마음을 보존하고 본성을 기르는 것이 하늘을 섬기는 조건이다.' 라는 것도 같은 맥락이야.
노자가 색(嗇)의 개념을 제시한 것은 물질적 절약이 아니라, 정신적인 수양을 말한 것이지.
정신
물질
물질에만 의존하면 정신 수양을 할 수 없겠지.
《도덕경》 마지막 81장은 이러한 하늘의 도와 성인이 가야할 길을 잘 요약했어.
현질(顯質)
진실한 말은 듣기 거북하고
사실 너 말이야…
사실? 무슨 사실?
과자
듣기 좋은 말은 진실하지 않다는 거지.
그게 아니라 네가 잘 생겨서…
뭐? 내가 잘 생겼다고!
과자
선량한 사람은 교묘하게 말을 꾸미지 못하고
속지 마. 과자가 먹고 싶어서 거짓말하는 거야.
과자
교묘한 말을 잘하는 사람은 선하지 않고
이 물은 만병통치약 심해 청정수 입니다.
말을 잘하고 말이 많은 사람은 믿음이 부족하기 쉽고
물이 만병통치약? 믿을 수 있을까?
믿음이 가는 신실한 사람은 대개 말수가 적단다.

지식이 많다고 해서 진정으로 도를 안다고 볼 수는 없어.
도를 아십니까?
여기서의 도는 길거리에서 만나는 도와는 다른 거란다.
헉!
성인은 온갖 정성을 다해 남을 도움으로써 자신이 더욱 충족되지.
남에게 모든 것을 다 주고도
자신은 더욱 넉넉해지지.
마음
이것은 하늘의 도가 공평하여 만물에 유익할 뿐 해를 입히지 않는 것과 같아.
진실함은 아름답게 꾸미지 않아도 되니, 도가 이와 같고 성인은 이 길을 걸어 갈 거야.
성인은 하늘의 도에 순응하며 공헌할 뿐 남과 다투지 않기 때문이야.

《도덕경》 마지막 81장은 이러한 하늘의 도와
성인의 길을 잘 요약하고 있어.
진실한 말은 아름답지 않고,
아름다운 말은 진실하지 않다,
선한 자는 말을 잘 못하고,
말을 잘하는 자는 선하지 않다.
아는 사람은 박식하지 않고
박식한 사람은 알지 못한다.
남을 위함으로써 내가 더욱 있게 되고,
남에게 줌으로써 내가 더욱 많아진다.
하늘의 도는 이롭게 할 뿐 해치지 않으며,
성인의 도는 위할 뿐 다투지 않는다.

제자백가의 주요 사상에는 어떤 것이 있을까?

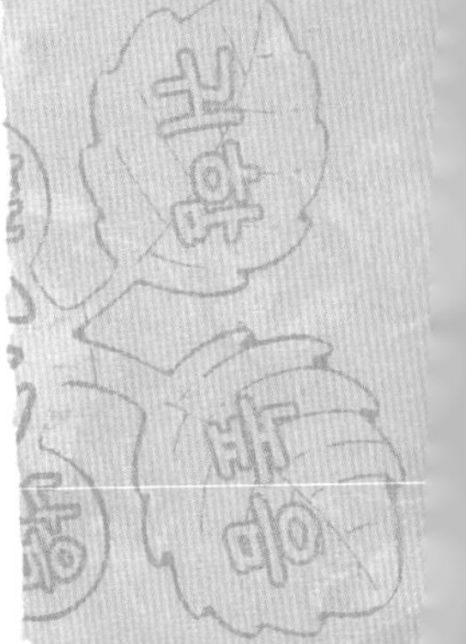

묵가(墨家)

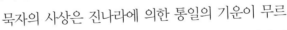

묵가를 창시한 사람은 묵자로, 성은 묵이고, 이름은 적입니다. 묵자는 공자나 맹자에 비해 알려진 것이 별로 없습니다. 이는 묵자의 사상이 당시 지배층들에게 환영받기 어려웠기 때문이었을 것입니다.

묵자는 노동자 계층의 사람이었습니다. 묵자는 당시 시대를 주름 잡는 사람들이 제후나 대부들과 같은 지배자들이고, 학문 역시 이들의 이익을 대변하는 것이라고 생각했습니다. 예를 들어, 유가에서 가장 소중한 가르침인 인은 사랑을 중심으로 삼았지만, 임금 · 주인 · 남자 등은 귀하고, 백성 · 하인 · 여자들은 비천하다는 생각이 밑바탕에 깔려 있었습니다. 묵자는 이러한 유가의 가르침에 반대하여 사랑에는 차별이 없어야 한다고 강조했습니다.

또한 묵자는 큰 나라가 작은 나라를 공격하고, 강한 자가 약한 자를 못 살게 굴고, 귀한 자리에 있는 자가 미천한 자리에 있는 사람을 함부로 부리는 것은 사람들이 차별적인 사랑을 하기 때문이라 여겼답니다.

하지만 세상의 중심이 임금이나 제후 그리고 대부들에게 있었던 시대에는 묵자의 가르침이 쉽게 받아들여지지 않았습니다. 결국 힘없는 백성들을 대변한 묵자의 사상은 진나라에 의한 통일의 기운이 무르익으면서 약해지기 시작했고, 통일 이후 역사의 무대에서 사라졌답니다. 하지만 오늘날 묵가의 사상은 사회주의 국가인 중국의 가치관과 통하는 것이 많아, 다시 주목받고 있습니다.

백성

유가(儒家)

흔히 우리가 유학이라고 부르는 학문은 유학의 창시자인 공자의 학통을 계승하는 학문을 말합니다. 그리고 유가는 유학을 주로 연구하는 사람들의 모임, 즉 학파를 가리킵니다.

유가의 계보는 공자 – 맹자 – 순자 – 훈고학 – 성리학 – 양명학 – 고증학 – 실학으로 이어지는데, 동양 사상에서 큰 비중을 차지하는 학문입니다. 한편, 우리가 자주 듣는 '공맹 사상'은 '공자와 맹자의 사상'을 말하는 것으로, 유가의 한 부분이라고 할 수 있습니다.

유가를 세운 학자는 공자입니다. 늘 배움에 열중했던 공자는 사상의 바탕을 예(禮)에 두었습니다. 그는 작게는 일상생활의 규범에서부터 크게는 천하를 다스리는 데 이르기까지 예가 아닌 것이 없다고 생각했습니다.

유가 사상은 공자가 죽은 후 더욱 널리 알려지게 되었고, 나중에 '유(儒)'라는 계급을 탄생시켰습니다. 이들은 지식을 익히면서 사회를 다스리는 관료층이 되었습니다. 하지만 이들은 지나치게 임금에 대한 충성을 강조하는 왕도 정치를 주장하여, 백성 중심의 사회가 아니라 왕과 관료들이 중심이 되는 사회를 주장하였답니다.

▲ 맹자 초상

▲ 공자 초상

병가(兵家)

병가는 주로 군사적인 문제를 집중적으로 연구했습니다. 그래서 대부분 전쟁과 군대에 대한 문제를 다루고 있는데, 춘추 · 전국 시대에 일어난 수많은 전쟁의 경험을 잘 정리하고 분석해서 전략과 전술을 제시하고 있습니다.

병가를 대표하는 학자로는 손자를 들 수 있습니다. 손자는 태어난 시기와 죽은 시기를 정확하게 알 수 없는데, 춘추 시대 말기에 군사학의 기초를 닦은 학자로 알려졌습니다. 손자는 원래 제나라 사람이었는데, 오나라 왕 합려에게 자신의 이론을 잘 설명해서 장군으로 임명되었습니다.

손자는 전쟁의 승부를 가르는 데는 도(도의:때에 따라 변하는 자연의 현상), 천(천시:마땅한 도리와 의로움), 지(지리), 장(장수), 법(군사 제도)이 중요하다고 주장했습니다. 또한 손자는 다음과 같은 유명한 말을 남겼습니다.

지피지기 백전불태(知彼知己 百戰不殆)
적을 알고 나를 알면 백 번 싸워도 위태롭지 않다.

공기불비 출기불의(攻其不備 出其不意)
상대의 허를 찔러 공격하고 불의에 진격한다.

이일대노 이포대기(以逸待勞 以飽待饑)
수세를 취해 힘을 기른 후 지친 적을 공격하고, 군량이 충족할 때 군량이 고갈된 적을 공격한다.

출기제승(出奇制勝)
상대가 예상치 못한 방법으로 공격하여 승리하다.

또한 손자는 전쟁을 할 때 속전속결로 치르고 지구전을 하지 말아야 하며, 상대방의 강한 곳을 피하고 약한 곳을 칠 것을 강조했답니다. 이러한 생각을 담은 책으로 《손자병법》이 있는데, 책 속에 담겨 있는 그의 뛰어난 군사 사상은 오늘날 군인들의 필독서 중 하나입니다.

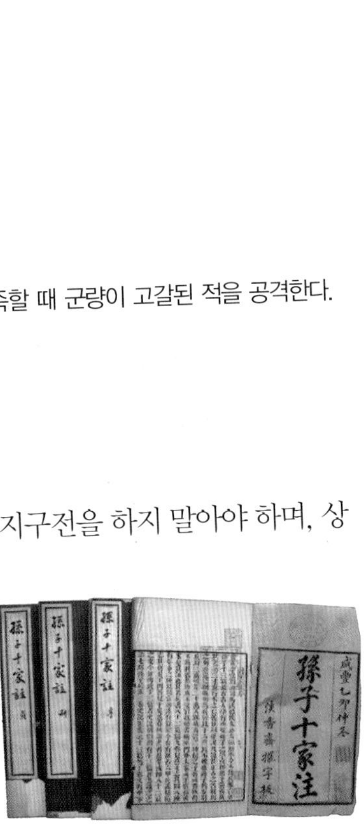
孫子十家注
▲ 손자병법

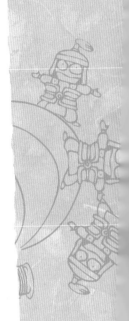

법가(法家)

법가는 법치주의를 주장하는 학파였습니다. 법치주의는 오늘날에도 유용한 제도이니, 법가는 여러 학파들 중에서 가장 현실적이고 실천성이 강한 이론으로 무장한 학파라고 할 수 있답니다.

법가를 대표하는 학자로는 한비자(기원전 약 280년 ~ 기원전 233년)를 들 수 있습니다. 젊었을 때, 순자의 제자였던 한비자는 순자의 성악설을 받아들였습니다.

성악설은 '인간의 본성은 원래 악하다.'고 생각하는 사상입니다. 법가에서는 인간을 근본적으로 이기적인 동물이라고 여겼기 때문에 부모와 자식 간의 관계도 이익을 탐하는 욕심으로 물들어 있다고 생각했습니다.

그러므로 한비자는 인간의 양심과 도덕을 믿지 않고 법률을 앞세웠습니다. 법률을 세우되 마치 먹줄을 친 것처럼 한 치의 어긋남도 없이 그 줄을 벗어나지 않도록 할 것을 주장하였답니다. 때문에 법전은 구체적이고 자세히 서술되어야 하며, 법은 엄중하고 무겁게 시행해야 한다는 것이었습니다.

이러한 법가 사상을 가장 잘 받아들인 나라는 진(秦)나라였습니다. 진나라는 여러 나라 가운데 경제력과 군사력이 강한 나라가 되었고, 제도를 고쳐서 중앙 집권적 관료 제도를 확립하여 중국을 통일하고 최초의 통일 제국을 다스릴 기초를 마련할 수 있었답니다.

법령

노자 도덕경

최훈동 글 | 이남고 그림

01 《도덕경》을 쓴 철학자는 누구일까요?

① 공자 ② 맹자 ③ 노자 ④ 장자 ⑤ 순자

02 《도덕경》은 어떤 사상을 다루고 있을까요?

① 유가 사상 ② 도가 사상 ③ 불교 사상
④ 기독교 사상 ⑤ 신선 사상

03 노자가 가장 소중하게 여긴 존재는 무엇일까요?

① 국가 ② 철학 ③ 왕 ④ 인간(모든 백성) ⑤ 정치 체제

04 다음은 《도덕경》에 나오는 글입니다. 무엇을 표현한 글일까요?

보아도 볼 수 없고, 들어도 들리지 않으며 잡아도 잡히지 않으니 이 셋으로는 밝힐 수 없어 이 세 가지가 하나가 된다. 그 위라서 더 밝은 것도 아니고 그 아래라서 더 어두운 것도 아니다. 끝없이 이어지니 무어라 이름 부를 수 없다.

① 도 ② 법 ③ 술 ④ 물 ⑤ 빛

05 노자는 다음과 같은 사람을 무엇이라고 했나요?

- 온갖 것과 어울리되 근본을 잃지 않는 사람
- 마음을 완전히 비우고 자연의 본성으로 돌아간 사람

① 도인 ② 성인 ③ 예인 ④ 지인 ⑤ 덕인

06 《도덕경》에서 가장 유명한 구절로 '상선약수(上善若水)'가 있습니다. 상선약수는 '도와 덕을 갖춘 성인은 (　　)처럼 살아간다.'는 것을 말합니다. 괄호에 알맞은 단어는 무엇일까요?

① 물　　② 불　　③ 공기　　④ 바람　　⑤ 연기

07 노자는 《도덕경》에서 훌륭한 지도자는 누구를 닮아야 한다고 주장했을까요?

---

08 노자는 나라를 다스리는 군왕에게 네 등급이 있다고 했는데, 이 중에서 가장 훌륭한 1등급 군왕은 어떤 군왕이라고 했나요?

① 덕과 인의로 다스리는 군왕

② 권모술수로 백성을 속이는 군왕

③ 위압적으로 다스려 두렵게 하는 군왕

④ 말을 아끼는 정치를 하는 군왕, 백성들이 그의 존재를 느끼지 않는 군왕

⑤ 백성을 방치하고 자신만 생각하는 군왕

06 ① : 노자는 최고의 선은 물과 같다고 했습니다. 물은 만물을 이롭게 하면서도 다투지 않고, 모든 사람이 싫어하는 낮은 곳으로 흐릅니다. 머물 때는 머무는 곳을 잘 선택하고, 마음을 쓸 때는 연못처럼 깊게 한다고 했습니다. 이때의 물은 성인을 비유합니다. / 07 어머니
08 ④ : 노자는 1등급 군왕으로 백성들이 그의 존재를 느끼지 않는 군왕을, 2등급 군왕으로는 덕과 인의로 다스리는 군왕, 3등급 군왕으로는 위압적으로 다스려 두렵게 하는 군왕, 4등급 군왕은 권모술수로 백성을 속이는 군왕이라고 했습니다. / 09 밝음
10 무위로 자연에 맡기고 간섭하지 않는 것 : 무위(無爲)란 소유욕, 식욕, 물욕, 명예욕 등의 욕심이 없고, 지배하려 들지 않는 상태의 마음을 말합니다. 무위를 이루려면 욕심을 잠재워야 합니다.

09 다음 괄호 안에 공통으로 들어갈 말을 쓰세요.

- 남을 아는 것을 지혜라 하고, 자기를 아는 것은 (   )이라 한다.
- (   )은 도를 아는 것 또는 근본으로 돌아가는 것이다.

10 노자는 가장 이상적인 정치를 무엇이라고 했나요?

정답

01 ③

02 ② : 유가 사상은 공자와 맹자에 의해 만들어진 유교 사상으로 중국의 정치 이념과 사회 윤리의 바탕이 되었습니다.

03 ④ : 노자는 나라나 왕보다는 오히려 그 나라를 이루는 근본이 되는 인간 자체, 즉 만백성을 가장 소중하게 여겼습니다.

04 ① : 노자는 도란, 인간의 모든 감각 기관과 지각 능력을 초월하므로 감각과 분별로 포착할 수 있는 대상이 아니라고 했습니다.

05 ②

신비로운 사람, 노자

중국 한나라 때의 역사가인 사마천이 쓴 《사기열전》에는 노자에 대한 이야기가 기록되어 있습니다. 노자는 중국 고대 주나라에서, 오늘날 국립도서관에 해당하는 수장실의 관장으로 일했습니다. 문헌을 보관하고 관리하며 다양한 학문과 고대 문화에 대한 해박한 지식을 얻을 수 있었지요. 그러다 노자는 주나라가 쇠퇴하자 모든 걸 내려놓고 주나라를 떠났습니다. 그렇게 주나라를 떠나기 위해 국경에 도착했는데, 그곳을 지키던 윤희라는 사람이 노자를 알아보고는 떠나기 전에 선생의 생각을 남겨 달라고 부탁을 합니다. 이에 노자는 그 자리에서 5,000여 자의 글을 써 주었습니다. 이후 노자는 주나라를 떠나, 어디로 가서 어떻게 살다가 어떻게 죽었는지 아무도 알지 못하게 되었습니다.

노자는 살아생전 공자와 만난 적도 있습니다. 당시 더 나이가 어렸던 공자가 어른인 노자를 찾아가 예(禮)에 대해 물은 것입니다. 이때 노자는 다음과 같이 대답했다고 합니다.

"훌륭한 장사꾼은 소중한 물건일수록 깊이 감추어 겉으로는 아무것도 없는 것처럼 보이며, 군자는 많은 덕을 간직하고 있으나 외모는 마치 바보처럼 어리석게 보이는 법입니다. 그대는 교만과 탐욕, 허세와 지나친 욕망을 버리도록 하십시오. 이러한 것들은 그대에게 아무런 도움이 되지 않는 법입니다."

노자는 공자에게 왜 이런 말을 했을까요? 그건 공자가 전국을 돌며 자신의 논리를 설파하고 다니다가, 학문이 뛰어나다고 알려진 자신을 찾아 자기의 주장을 이야기하고 토론하고자 했다는 것을 알아챘기 때문입니다. 공자에게 예에 대해 알고 있으면서도 굳이 물어보는 태도나 지식을 드러내고 현란한 말솜씨를 부리려는 태도는 예와 거리가 멀다고 지적한 것입니다.